Pome

Marie Desplechin

Pome

Neuf
l'école des loisirs
11, rue de Sèvres, Paris 6e

© 2007, l'école des loisirs, Paris
Loi n° 49.956 du 16 juillet 1949 sur les publications
destinées à la jeunesse : septembre 2007
Dépôt légal : mars 2015
Imprimé en France par CPI Firmin Didot
à Mesnil-sur-l'Estrée (127954)
ISBN 978-2-211-08977-7

Pour Laurence Lefèvre

« Pome, tu es ce qui m'est arrivé de meilleur. »

On m'avait avertie, mais je pensais pas que ça m'arriverait. Pas à moi. Pas à Anastabotte. La grande, la sage, l'incomparable Anastabotte. J'étais tout simplement trop forte. J'avais enrichi le corpus des recettes. J'avais formé des générations de sorcières. J'avais exercé mon influence avec fermeté et justice… Elle n'était pas née, celle qui me détrônerait un jour !

Ma fille Ursule a bien tenté de m'égaler. À qui voulait l'entendre, elle a laissé croire qu'elle pourrait être aussi puissante que moi, si seulement elle s'en donnait la peine. Dommage qu'elle ait toujours borné son pouvoir à quelques tours domestiques de petite envergure. Empoisonner la vie de ses voisins suffit à son épanouissement. Je l'aime beaucoup mais je constate qu'elle n'a pas transformé le métier. Elle n'est pas nulle, elle est limitée.

Sa plus grande réussite a certainement été d'élever sa fille dans un cocon de brume. Elle a édifié autour d'elle un rempart d'invisibilité qui l'a tenue à l'écart de son père pendant dix ans… C'était tout à fait inutile. Et peut-être même assez nuisible. Il faut reconnaître que, techniquement, ce n'était pas si facile. Le pauvre homme a tout fait pour retrouver sa fille… Il aurait fallu pour cela qu'il soit capable de briser le sort. Impossible. Ursule est assez habile pour maintenir des ensorcellements durables. Elle aurait pu faire une sorcière d'un niveau très honnête si elle n'avait pas une fâcheuse tendance à perdre son temps…

Parce que évidemment, dès qu'elle en a eu la possibilité, la petite n'a rien eu de plus pressé que de sortir de l'ombre et de chercher son père. Elle n'était pas sorcière depuis un mois qu'elle a fichu en l'air tout le dispositif mis en place par sa mère. Je l'ai un peu aidée, c'est vrai.

Mais, même sans mes services, elle se serait débrouillée toute seule. J'ai vu défiler beaucoup d'apprenties dans ma vie d'enseignante. De toute ma carrière, je n'avais encore jamais rencontré quelqu'un qui apprenne à une vitesse aussi prodigieuse. Il suffit de lui dire les choses pour qu'elles s'inscrivent dans sa mémoire. Elle est capable de répéter au geste près des manipulations qu'elle n'a vues qu'une fois.

Quand je pense qu'elle refusait de devenir sorcière... Je me souviens de nos premières leçons. De son air effrayé et furieux en entrant dans mon atelier. De ses récriminations incessantes : « C'est dégoûtant... C'est ridicule... Je ne veux pas faire des choses aussi répugnantes... Je ne suis pas comme vous... » Elle se bouchait le nez en descendant à la cave. Elle marchait sur la pointe des pieds. Elle ne voulait pas lire les grimoires. Elle refusait de toucher les instruments. On aurait dit qu'elle craignait d'être contaminée.

Tout a changé le jour où elle a compris les avantages qu'elle pouvait tirer de sa vocation et de mon enseignement. Dès qu'il s'est agi de son père, rien n'était trop sorcier pour elle. Elle serait allée jusqu'en enfer si on le lui avait demandé. Je me dis souvent qu'elle est devenue sorcière pour de bon le jour où elle a retrouvé ce brave Gérard. Ce jour-là, elle a pris conscience de l'étendue de ses pouvoirs.

Elle s'était bien exercée, dans les premiers temps, sur un camarade de classe dont elle voulait attirer l'attention. J'avais cherché un tour facile et amusant pour faire avec elle quelques travaux pratiques. Je lui avais naïvement proposé l'ombre bleue. Faut-il que j'aie été aveugle ! Elle a ensorcelé ledit Soufi… et elle n'a rien trouvé de mieux que d'aller lui raconter nos affaires dans le détail ! Je l'avais pourtant prévenue : les affaires des sorcières appartiennent aux sorcières. Il est formellement interdit de les partager. Elle a acquiescé gentiment (car c'est une enfant gentille). Et elle n'en a fait qu'à sa tête.

Dans les mois qui ont suivi, les choses n'ont fait qu'empirer. Elle est devenue intenable. De tout ce qui faisait le secret glorieux des sorcières, de notre pacte du silence, elle ne respecte rien. Rien n'est sacré pour elle. Elle raconte, elle partage. Passe encore qu'elle amène chez moi son amie Pome, qui est sorcière de naissance... Mais qu'elle prenne sur elle d'y mêler Soufi, c'est un peu fort de café! Je veux bien croire qu'il a des dispositions. Mais ce n'est pas une raison suffisante. Soufi, jusqu'à nouvel ordre, c'est un garçon.

De cette très ancienne frontière qui sépare les hommes des femmes, et les filles des garçons, Verte ne veut rien savoir. J'ai beau lui expliquer que la séparation nous protège, nous les sorcières. Que le secret nous garantit le calme et la tranquillité. Elle fait celle qui ne m'entend pas. J'ai l'impression qu'elle ne comprend même pas ce que je lui dis. « Mais de quoi tu as peur ? » demande-t-elle d'un air innocent. « Il est très gentil, tu verras. »

Voilà comment, en moins d'un an, Verte a mis un désordre inouï dans la profession et dans mon existence. Je vivais solitaire mais paisible, entre ma cuisine et mon atelier, une fille encombrante et quelques amies fidèles. En quelques mois, une seule petite-fille agitée m'a dotée d'un gendre qui me regarde avec méfiance, d'une nouvelle élève insolente, d'un apprenti masculin… et (c'est le pire) d'un prétendant follement amoureux, auquel je ne suis malheureusement pas totalement indifférente. Elle a multiplié les menaces qui pèsent sur notre petite société fermée. Un jour, je le sais, le pot aux roses sera découvert. Toutes les sorcières apprendront que le secret a volé en éclats par la faute de quelques-unes. Et elles sauront que j'en suis, sinon la responsable, du moins la complice. Le scandale sera grand et je risque de me retrouver bien seule ce jour-là. À moins que mes nouvelles amours aient pris assez de place pour éloigner à jamais de moi la solitude.

Mais savez-vous le pire ? Le pire est que je n'en ressens aucune crainte. Je suis certaine que Verte saura remédier à ces probables soucis. Elle est loin de tout savoir encore, et de tout maîtriser. Mais ce qu'elle a appris lui permet déjà de me surprendre. Et je compte bien lui enseigner ce qui lui manque pour qu'elle devienne plus forte que je ne l'ai jamais été.

On m'avait prévenue et je n'ai rien vu venir. Il faut croire que c'est parce nous étions en famille. Comme imaginer que ma Verte chérie, que j'avais aimée à toutes les étapes de sa courte vie, que j'avais regardée grandir avec tendresse, serait celle qui me supplanterait un jour?

PROLOGUE
(Ray, grand-père)

Mon fils est un drôle de type. Il n'est pas mal de sa personne. Il a toujours été aimable, et aimé. C'est un professionnel reconnu, un entraîneur chéri des jeunes, de leurs parents, et même des fédérations. Qu'est-ce qui lui a pris de se jeter dans les bras d'une créature désagréable, moqueuse et manipulatrice ? Je l'avais prévenu : « Gérard, cette femme n'est pas pour toi ! » Mais je parlais dans le vide. Il était amoureux, il n'en a fait qu'à sa tête. Le résultat ne s'est pas fait attendre. Sa vilaine Ursule n'était pas sitôt mère qu'elle a filé avec sa gamine. Elle s'est évanouie dans la nature, en abandonnant le pauvre père entre un paquet de couches et une boîte de bouillie périmée.

Il ne pouvait plus se reposer sur sa chère maman. Un cruel destin nous l'avait enlevée bien trop tôt. Dans son malheur, il a eu de la chance que je sois un homme de devoir. Pas question d'abandonner mon petit gars dans une mauvaise passe ! Je me suis dévoué sans me poser de questions. Arrivé à l'âge de la retraite, j'ai changé de vie. J'avais fait toute ma carrière dans la police. J'avais été un flic efficace et estimé. J'ai raccroché sans nostalgie mon uniforme et mes insignes. J'ai enfilé un tablier et je me suis attelé à la cuisine, au ménage et au repassage. En toute modestie, je me suis très bien débrouillé. Si Gérard a traversé ces années terribles sans perdre ni son boulot, ni sa belle santé, c'est grâce à moi. Il ne voudra jamais le reconnaître, mais c'est la pure vérité. Sans moi, il était cuit.

Quand je pense à tout ce que j'ai fait pour lui… J'ai trouvé ces deux beaux appartements dans lesquels nous habitons, juste en face du stade. Je nous ai installés, meublés, nourris, vêtus de propre. Je l'ai soutenu pendant ces dix années de recherche inquiète. Car, du jour où elle a disparu, Gérard n'a jamais cessé de rechercher sa fille. Toutes les heures qu'il ne passait pas au travail, il les consacrait à déambuler dans les rues en dévisageant les mères et leurs fillettes… En pure perte. Il n'a jamais trouvé aucune piste. Rien. Zéro. Nichts. Nada. C'en est même surprenant… Car la gamine n'était pas partie très loin. Son poison de mère ne s'est même pas donné la peine de changer de ville. Il aurait pu la croiser cent fois, sur le chemin du stade ou celui de l'école… C'est à se demander si c'était la petite qui avait disparu ou le père qui était devenu aveugle !

Et puis, sans avertissement, la donzelle a décidé de refaire surface. Je n'avais pas vu cette gosse depuis dix ans, et voilà qu'elle m'est tombée dessus en m'appelant Papi. Pour une surprise, c'était une surprise ! On quitte un bébé joufflu et on se retrouve nez à nez avec une coquine montée en graine. On ne l'a pas vue grandir. On n'a pas eu le temps de s'habituer. Et on est bombardé grand-père du jour au lendemain. Vous parlez d'une expérience !

J'étais stupéfait mais content. Je croyais naïvement que mes ennuis étaient terminés. À moi la vie simple et tranquille, loin des tourments et des complications... Il n'a pas fallu quinze jours pour que je renonce à mes illusions. Car ce n'est pas tout de récupérer un enfant la moitié de la semaine. Encore faut-il le nourrir convenablement, surveiller ses études et son comportement, organiser ses loisirs et ses déplacements... Un père qui travaille à longueur de journée n'a pas le temps de tout faire. C'est donc le grand-père qui s'est mis à la tâche. Ma charge de travail a doublé du jour au lendemain.

Je reconnais que je n'ai rien fait pour me simplifier l'existence. J'ai même contribué à charger ma barque... en proposant mon aide pour un déménagement. Par pure bonté d'âme, j'ai porté les cartons pour deux nouvelles voisines qui emménageaient dans la résidence. Une après-midi entière, j'ai fait des allers-retours entre une camionnette pourrie et un appartement vide, les bras chargés de tout un bric-à-brac ridiculement lourd. Et tout cela sans obtenir le moindre remerciement. Même pas une petite tasse de café! La mère me regardait d'un air revêche, comme si elle me soupçonnait de vouloir lui voler un carton. Quant à sa gamine, elle se serait brûlée plutôt que de m'adresser un sourire! J'avais beau les maudire en les quittant, j'ai signalé à ma chère petite-fille qu'une jeune personne de son âge avait pris pension dans le bâtiment B. Les deux oiselles n'ont pas tardé à lier connaissance. N'est-ce pas chevaleresque de ma part?

J'ai été récompensé sans tarder: Verte et Pome sont devenues les meilleures amies du monde. Si bien que, au lieu d'avoir une fillette sur le dos, aujourd'hui j'en ai eu deux! Si j'ajoute le jeune Soufi à la liste de mes invités permanents, je peux me dire que je suis à la tête de toute une colonie de mioches... Je n'ai plus une minute à moi. Incroyable ce que ces gosses avalent, surtout les jours de frites et de crêpes. Et quand je ne suis pas aux fourneaux, je fais le taxi.

Tous les mercredis, je conduis Verte chez sa grand-mère. J'avoue que, si je n'ai jamais supporté Ursule, j'ai toujours trouvé du charme à

Anastabotte. Elle est extravagante. Ses vêtements sont un peu voyants à mon goût. Mais c'est une femme intelligente, et qui a de la distinction. Et elle sait recevoir. Quand je dépose Verte, je pense toujours à lui apporter quelques cookies de ma confection. Elle m'offre un petit verre de porto et nous avons dans la cuisine de belles conversations.

Je n'hésite pas à me confier à elle. J'ai le sentiment qu'elle me comprend. C'est elle qui m'a calmé les craintes que m'inspirait Verte. Ma petite-fille a de nombreuses qualités. Elle est vive et joyeuse. Mais elle tient parfois des propos étranges. Il m'est même arrivé de penser qu'elle me cachait quelque chose. Un jour que je lui demandais à quoi elle s'amusait le mercredi chez sa grand-mère, elle m'a répondu :

— C'est un secret. Mais veux-tu que je te le dise, mon Papi Ray adoré ?

— Pourquoi crois-tu que je te pose la question ?

— Alors, je te le dis : je fais de la sorcellerie.

— Je te demandais une réponse ! Pas une ânerie.

— C'est la réponse, Papi Ray…

— Tais-toi ! Je n'aime pas que les enfants mentent !

Voilà le genre de fadaises qu'elle invente. Je sais que c'est une enfant sensible, et certainement un peu perturbée par la séparation de ses parents. Mais je suis très vigilant. J'ai donc rapporté ses propos à sa grand-mère, qui en a été très surprise.

— Elle vous a parlé de sorcellerie ? Elle n'aurait pas dû !

— Je sais, ma chère. C'est pourquoi je m'inquiète…

Anastabotte a eu un petit sourire. Elle a pris mes mains dans les siennes et les a secouées longuement. Elle dodelinait de la tête en me regardant avec ses yeux magnétiques.

— Ne vous inquiétez pas inutilement, mon vieux. Promettez-le à votre amie Anastabotte… Promettez-le…

Elle me parlait si doucement, et de manière si convaincante, que j'ai promis.

La sorcellerie… Quelle idée baroque ! Je ne peux pas m'empêcher de sourire quand j'y pense. Ma chère petite-fille est une rêveuse à l'imagination exubérante. Par chance, elle grandit au milieu d'adultes raisonnables et équilibrés. Je ne sais toujours pas ce qu'elle fabrique le mercredi après-midi, mais ça n'a plus grande importance. Je m'en remets à la sagesse de sa grand-mère...

CE QU'EN DISAIT POME
(La voix d'une amie)

Je l'avais déjà vue, moi. Je le savais, qu'elle habi-tait le bâtiment A. J'avais bien remarqué qu'elle était de la famille du vieux type qui avait porté les cartons, pour le déménagement.

Mais je n'osais pas lui parler. Maman n'aime pas que je parle aux voisins. Elle pense que la terre entière nous veut du mal. Dans notre ancien immeuble, j'avais interdiction de causer à qui que ce soit. De toute façon, personne ne m'adressait la parole. Tout le monde avait peur de nous, depuis que ma mère s'était vengée de la voisine du sixième en faisant crever ses oiseaux.

— Je sais que c'est vous, sifflait la voisine

quand elle nous croisait dans les escaliers. Vous et vos sales manigances...

– Eh bien, prouvez-le, répondait ma mère avec un sourire insolent.

J'aurais pu le prouver. Je l'avais vue préparer sa poudre et la balancer par la fenêtre sur le balcon du sixième. Je savais que ce n'était pas une vulgaire poussière de ménage. Elle avait passé des heures à la recuire en chantonnant sur sa bassine. J'aurais pu annoncer que les perruches allaient devenir toutes blanches et sécher sur leurs petits perchoirs. C'était écrit dans la recette. Le problème avec ma mère, ce n'est pas tellement qu'elle est méchante. C'est qu'elle est rancunière, mesquine, agressive et mauvaise voisine. Et que je suis sa fille.

Elle avait essayé d'empêcher le vieux type de nous aider.

– Nous nous en sortirons très bien toutes seules...

Elle n'était pas arrivée à le décourager.

Il n'en est pas question, madame ! Qu'est-ce que vous avez bien pu fourrer dans ces cartons pour qu'ils pèsent un âne mort ?

Il n'arrêtait pas de parler en montant et en descendant les escaliers. Il posait des questions sans arrêt. Or, s'il y a une chose au monde que ma mère déteste, ce sont les questions. Et les gens qui les posent. Si j'avais pu, je l'aurais prévenu.

— Inutile de vous casser le dos, nouveau voisin. Tous ces cartons sont remplis de saletés inventées pour vous nuire, et de grosses casseroles pour les mijoter. Rentrez chez vous regarder le feuilleton.

Mais je sentais peser sur moi les yeux menaçants de ma mère et je l'ai bouclée. Quand toutes nos affaires ont été entassées dans l'appartement vide, le papi est resté un instant à s'essuyer le front en soufflant. Il attendait qu'on lui propose un verre d'eau, ou peut-être même une tasse de café. Mais rien du tout. Ma mère attendait qu'il débarrasse le plancher. Quand enfin il s'est décidé à partir, elle s'est tournée vers moi.

— Encore un qui ne nous aime pas ! Encore un voisin atroce dont il faudra se méfier !

— C'est lui qui se méfiera de nous. Il a toutes les raisons de ne pas nous aimer, si tu veux mon avis.

— Ton avis ne m'intéresse pas… Tu me contredis sans arrêt. Tout ce que je te demande, c'est de ne jamais lui parler. Dans ce monde de haine et de violence, la gentillesse est un luxe qui nous est interdit.

Adieu, brave papi. Retour à l'ennui familial. Quand je pense que les gens aiment les histoires de sorcières… J'ai envie de leur proposer de venir passer un week-end chez nous. Ils seraient vite guéris. Être enfant n'était déjà pas très amusant. Mais devenir sorcière s'est révélé pire encore. J'étais seule avant, j'étais encore plus seule après. J'étais un monument élevé à la gloire de La Plus Grande Solitude. Jusqu'à ce que le vieux Ray entre dans ma vie en portant des cartons.

Ray, mon sauveur, mon idole, tu as bouleversé mon existence. Tu as fait sauter les barrières derrière lesquelles j'étais enfermée. Tu as parlé de moi à Verte. Et c'est elle qui a fait ce que je n'aurais jamais osé faire… le premier pas. C'était dans le hall d'entrée, devant les boîtes aux lettres. Je l'ai aperçue de loin, par la porte vitrée. Elle avait posé son cartable contre le mur. Elle m'attendait.

— C'est toi, l'horrible punaise du bâtiment B ?

— C'est moi. Je suis sûre que tu es la fille du vieux qui déménage…

Elle s'est mise à rire. J'ai tout de suite aimé son rire. Je crois que le mien lui plaisait aussi. Parce que nous avons ri si fort que les larmes nous sont montées aux yeux et que nous avons dû nous asseoir par terre.

— C'est mon grand-père. Il s'appelle Raymond.

— Et toi ?

— Verte.

— Bizarre, comme prénom. Moi, c'est Pome.

— Tu crois que c'est mieux, Pome ?

Nous étions assises par terre devant nos cartables, nous nous connaissions depuis cinq minutes, et j'ai pensé que je n'avais jamais rencontré personne d'aussi rapide et d'aussi drôle. Personne avec qui il soit aussi facile de parler.

— Est-ce que tu veux être mon amie ?

Elle m'a posé la question sans même me regarder, sans se tourner vers moi, comme si l'idée venait de lui traverser l'esprit. J'ai répondu de même, à toute vitesse :

— D'accord.

Nous nous sommes relevées, nous avons repris nos cartables et nous sommes rentrées chacune chez nous. C'est tout ? Oui, c'est tout. Je n'oublierai jamais ce moment même si je vis, comme je l'espère, jusqu'à cent vingt ans.

Nous ne sommes pas dans la même classe. Elle est en sixième onze, je suis en sixième douze. Je ne comprends pas comment ils numérotent les classes, dans ce collège. Il n'y a que trois sixièmes, et elles s'appellent dix, onze, douze. Où sont passées les neuf autres ? Englouties dans le trou noir ?

Du jour où nous avons déclaré notre amitié, nous ne nous sommes plus quittées. Gérard, le père de Verte, adore faire des blagues sur le sujet. Il nous appelle les Inséparables, comme les oiseaux qui vivent en couple. Il m'inquiète. Depuis que j'ai vu ma mère faire crever les perruches, je me méfie des noms d'oiseaux.

Quand nous avons les mêmes horaires,

j'attends Verte devant l'arrêt de bus. À la cantine, nous déjeunons ensemble. Nous nous retrouvons aux récréations. Et chaque fois que j'en ai l'occasion – en gros tous les soirs à la sortie du collège –, je plante la tente chez son grand-père. Mais je ne l'invite jamais chez moi. Ma mère ne peut pas m'interdire complètement d'avoir des amis. Mais elle ne veut pas que je les amène à la maison.

– Qu'est-ce qu'ils cherchent, ces gamins, à fureter chez moi ? Ils nous espionnent ? Personne ne leur a appris qu'il était impoli de s'imposer chez ses voisins ?

Si c'est pour entendre ce genre de remarques, je suis aussi bien chez Papi Ray. Pour un type aussi vieux, il n'a pas peur des enfants des autres. Plus il en a, plus il est content. Il ne peut pas s'empêcher de ronchonner, mais il suffit qu'on lui dise qu'il est unique, merveilleux, formidable pour tout arranger. Pour achever de se le mettre dans la poche, on peut toujours lui parler de nourriture. Rien ne le rend plus heureux que raconter dans le détail comment on cuit un gigot. Il en oublie tout le reste, et à la fin, il vous adore. Je n'ai jamais rencontré un homme pareil.

D'un autre côté, des hommes, je n'en connais pas beaucoup. Pas de nouvelles de mes grands-parents depuis que ma mère s'est disputée avec eux. Pas de nouvelles de mon père non plus. Disparu dans la stratosphère. J'ai cru comprendre que ma mère avait été très contente de s'en débarrasser. Mais lui-même n'avait pas l'air très convaincu de vouloir vivre avec nous. Je n'ai aucun souvenir de lui. Je ne sais même pas s'il est au courant que j'existe. Je ne peux pas dire qu'il m'ait manqué. On ne regrette pas ce qu'on n'a jamais connu. Toute mon expérience se résume donc au seul maître que j'ai eu à l'école primaire, en CM2. En classe, je le regardais fixement en me disant qu'il aurait pu être mon père. Quand je m'ennuyais, j'essayais de l'imaginer chez nous, en train de parler à ma mère ou de jouer avec moi. Je devais avoir l'air très concentré (ou complètement ailleurs) parce qu'il s'arrêtait de parler et il venait se planter devant mon bureau.

— Alors, Pome ? On rêve ?

Au début, j'ai fait des efforts énormes pour avoir l'air d'une fille normale. J'avais très peur que mon unique amie se rende compte que quelque chose clochait chez moi, et qu'elle décide de ne plus m'aimer. J'ai observé comment faisaient les autres, les filles normales. Si elles y arrivaient toutes, il n'y avait pas de raison que j'échoue.

Avec mon argent de poche, je me suis acheté un sac à dos rose, une trousse assortie et toute une collection de cahiers ridicules décorés de rats roses et bleus. Pour une première opération, ça a été un triomphe. Toutes les filles avaient les mêmes. À la fin des cours, elles confondaient toutes leurs sacs et leurs cahiers.

J'ai ensuite demandé à ma mère de m'offrir un blouson en lamé doré pour mon anniversaire.

— Tu as perdu la tête ? m'a-t-elle dit.

Dans la semaine qui a suivi, elle m'a interdit d'aller faire mes devoirs chez Papi Ray.

— Cette fille a sur toi une influence déplorable, a-t-elle remarqué. Le sac à dos était une faute de goût. Le blouson, c'est une catastrophe.

J'ai fait une croix sur le lamé et je suis restée à me morfondre chez moi. Le temps passait si lentement qu'on aurait dit une interminable punition. Pour ne pas mourir de rage et garder un peu d'espoir, j'ai décompté toutes les minutes qui me séparaient de ma majorité. J'en étais à plus de cinq mille sur presque quatre millions quand le vendredi est arrivé.

Ce vendredi était parti pour être un vendredi comme les autres. Histoire, français, cantine, maths, anglais, musique. La prof d'histoire était tellement contente de nous faire cours qu'elle n'a pas su s'arrêter à la sonnerie. Nous sommes descendus en retard à la récréation. J'ai dévalé les escaliers, je me suis précipitée dans la cour. J'en ai fait plusieurs fois le tour avant de trouver Verte. On aurait dit qu'elle se cachait. Quand je l'ai enfin repérée, elle était à genoux sur la grille du marronnier.

Quatre marronniers sont plantés au milieu du bitume. Mais le premier, en face du portail de l'entrée, est le plus beau. On dirait qu'il est le père des trois autres. Tous les oiseaux du secteur sont installés dans sa frondaison. Verte était donc agenouillée et elle regardait fixement la grille noire qui recouvre les racines. Elle était si absorbée qu'elle ne m'a pas entendue approcher. Elle n'a pas bougé quand je me suis accroupie à côté d'elle. J'ai cherché des yeux ce qu'elle observait. Et je les ai vus.

Une dizaine de petits êtres s'activaient, sortant de galeries creusées dans le sol et courant dans les sillons épais de l'écorce. Je crois qu'ils recueillaient des parcelles de sève séchée, mais je n'en suis pas certaine. Ils étaient comme les abeilles : toujours empressés sans qu'on sache très bien à quoi. Leurs corps transparents étaient traversés de reflets de couleur vive. La lumière jouait à travers eux. C'était ravissant.

— Oh, ai-je dit, les homoncules.

— Oui, a murmuré Verte. On ne dirait pas, quand on les regarde, qu'ils sont dangereux...

— C'est vrai...

— Quand tu les attrapes, ils mordent et la blessure ne guérit jamais. C'est à cause de la mandragore qui est sous l'arbre. Elle les empoisonne.

– Il faudrait être dingue pour essayer d'attraper un homoncule ! Tout le monde sait ça !

– Tout le monde ? a répété Verte.

Elle s'est tournée vers moi et elle s'est mise à rire. Elle a répété :

– Tout le monde ?

Un groupe de filles et de garçons s'étaient agglutinés autour de nous. Ils piaillaient :

– Qu'est-ce que vous regardez ? Vous avez perdu quelque chose sous la grille ?

Ils faisaient un tel bruit que les homoncules ont disparu. D'un seul coup. Évanouis dans l'écorce. Mais ils auraient aussi bien pu rester à la surface. Parce que, à part Verte et moi, personne ne voyait rien. Les homoncules sont invisibles. Sauf pour les créatures de l'entre-deux mondes. Et les sorcières.

Verte s'est relevée, elle a essuyé ses genoux et elle a haussé les épaules.

– Bande d'imbéciles, a-t-elle dit. Il n'y a rien.

Le groupe, déçu, s'est égaillé et nous nous sommes retrouvées toutes les deux.

– Je sais pourquoi les oiseaux nichent tous

dans cet arbre, a remarqué Verte. C'est à cause des homoncules. Ils adorent leur compagnie.

Ce qui venait de se passer était tellement incroyable que je n'ai pas pu lui répondre. Je suis restée muette. Nous nous sommes éloignées de l'arbre et la sonnerie a retenti.

— Toi aussi ? a dit Verte comme nous nous séparions pour aller vers nos classes.

— Oui.

— Sorcière ?

— Sorcière.

— Alors, pourquoi tu portes ce sac idiot ?

— Pour toi. Je pensais que tu étais comme les autres. Je voulais rester ton amie.

— Tu devrais garder le sac, il est pratique. Quoi que tu fasses, je suis ton amie. Pour la vie.

J'ai gardé le sac. Mais comme j'en avais assez de l'échanger sans arrêt à la fin des cours et des récréations, j'ai pris un marqueur noir et j'ai dessiné une tête de mort. En plein sur la marque. On ne voit plus que ça. Un crâne noir sur fond rose. C'est un peu voyant, mais plus personne ne risque de confondre.

— On dirait une gothique, m'a dit ma voisine de table.

Difficile de savoir si elle était envieuse ou dégoûtée.

— Ce n'est pas si mal, gothique, a commenté Verte. Tant qu'on est peignée et qu'on a des habits propres.

Elle portait aux oreilles deux petits scorpions en argent qui dansaient dans la lumière. Un cadeau de sa grand-mère.

— Tu as de la chance d'avoir une famille complète, lui ai-je dit un peu plus tard. Moi, je n'ai que ma mère.

— On peut partager... Si on est tout le temps ensemble, ils finiront par penser que tu es de la famille. Ils ont l'habitude des pièces rapportées. Viens avec moi mercredi chez Anastabotte. Elle m'apprend les fondamentaux. Elle sera ravie qu'on suive les leçons ensemble.

— Il faudrait que ma mère soit d'accord...

— Si Anastabotte en personne décroche son téléphone, ça m'étonnerait qu'elle dise non.

Verte semblait persuadée qu'Anastabotte pouvait arranger n'importe quel problème. Mais de là à convaincre ma mère… Il aurait fallu avoir une très grande autorité. Quelque chose comme un grade. Une réputation dans la profession. Je n'y croyais pas et j'avais tort. Anastabotte devait avoir un truc à elle, parce que le lendemain, comme je revenais de chez Gérard, ma mère m'a convoquée dans sa cuisine.

— Viens voir ici. J'ai deux mots à te dire.

D'habitude, ce genre de prélude annonce un tsunami de reproches.

— J'ai reçu un coup de téléphone…

Aïe… Si la grand-mère de Verte avait fait la morale à ma mère, j'allais passer une mauvaise soirée. Mais elle ne semblait pas fâchée. Elle me regardait plutôt avec curiosité, comme si elle ne m'avait pas vue depuis longtemps. Elle a réfléchi un moment et puis elle s'est lancée :

— Elle est sorcière.

— Qui ?

— La fille d'en face. Celle qui va au collège avec toi.

— Comment tu le sais ?

— Sa grand-mère m'a appelée. Tu aurais pu me prévenir plus tôt !

— Qu'elle était sorcière ?

— Qu'elle était de la famille d'Anastabotte !
Je ne sais pas si tu te rends bien compte…

Je la regardais avec des yeux stupides. Me
rendre compte de quoi ?

— Non, évidemment ! Tu ne sais rien, tu
n'écoutes rien, tu ne retiens rien… Je passe des
heures à t'enseigner des choses qui ne te servent
à rien… Quand je pense à la mère de Verte, je
me dis qu'elle doit être fière de sa fille. La
petite-fille d'Anastabotte, ce n'est pas rien. Mais
toi ! Toi…

J'aurais bien aimé lui rire au nez. Lui dire
que Verte était mon amie, et pas la sienne. Et
qu'elle n'avait de toute façon aucune amie. Mais
je me suis contentée de plus simple. J'ai fondu
en larmes.

— Inutile de faire du chantage, a coupé ma
mère. J'ai une solution toute prête à tes problèmes. Anastabotte veut bien te prendre le mercredi après-midi pour te donner des leçons avec sa
petite-fille. Tu vas me faire le plaisir de t'y rendre.
Et d'être sérieuse. Fini de tirer au flanc. À partir
de mercredi, c'est toute ta vie qui va changer !

J'ai essuyé une dernière larme. Mais celle-là ne venait pas de ma tristesse. C'était une larme de stupéfaction.

J'ai murmuré :

— Oui, Maman. Je vais aller chez Anastabotte. Je vais faire des progrès. Je te le promets.

Le regard de ma mère s'est radouci.

— Très bien, a-t-elle concédé. Tu peux aller dans ta chambre. Et tu peux dire à cette jeune fille, Verte, qu'elle est la bienvenue chez nous. Je me ferai un honneur de la recevoir. Tant qu'elle ne vient pas avec son insupportable grand-père, bien entendu.

— Je te l'avais bien dit ! a fait Verte le lendemain. Elle est très forte. Quand il s'agit de sorcellerie, même ma mère n'ose pas la contredire.

— Tu crois que les sorcières se connaissent toutes ?

— Elles ont des réunions, une ou deux fois par an. Mais il faut être confirmée pour y assister. Les débutantes ne sont pas invitées.

— Je ne savais même pas que ça existait.

— C'est normal, ça fait partie des secrets. On doit apprendre au fur et à mesure.

— Comment tu le sais, alors ?

— Parce que ma mère pense que je suis sourde. Elle parle devant Anastabotte comme si je n'étais pas là. Il suffit que je fasse semblant de m'intéresser à autre chose et elle m'oublie. Et Anastabotte fait celle qui ne se rend compte de rien. Elle se dit sûrement qu'écouter en douce est un moyen d'apprendre comme un autre. Tu verras comme elle est marrante !

Marrante, je n'y croyais pas. J'imaginais une femme sérieuse. Pas méchante mais sévère. Assez autoritaire en tout cas pour faire impression sur ma mère. Enfin, je n'imaginais pas du tout celle que j'ai rencontrée, le mercredi suivant, quand Ray nous a emmenées chez elle.

D'abord, elle était merveilleusement habillée. Elle portait une robe longue aux reflets brillants, un peu transparente vers le bas. Sur les épaules, un gilet de dentelle vermillon, assorti à son rouge à lèvres. À ses oreilles, les plus grosses boucles que j'aie vues de ma vie. Quand je suis arrivée devant elle, au lieu de me serrer norma-lement la main, elle m'a prise dans ses bras, m'a soulevée de terre et m'a serrée contre elle. Elle sentait si bon que j'ai fermé les yeux contre son cou. Sa peau était rebondie, molle et douce comme un coussin.

— Pome ! a-t-elle crié dans mes oreilles. Pome chérie !

Par-dessus son épaule, j'ai jeté un coup d'œil à Ray. Il la regardait avec des yeux comme des roues de moulin. Je me suis demandé s'il l'aimait bien, lui aussi. Ils n'ont pas du tout le même genre, tous les deux... Mais quand elle m'a posée au sol et qu'elle s'est avancée vers lui en lui tendant les deux mains, il a eu un tel sourire que j'ai compris qu'il l'aimait. Il ne l'aimait pas à moitié, il l'aimait pour de bon. Je ne suis peut-être encore qu'une jeune fille, mais j'ai des yeux pour voir.

— Ray, a soupiré Anastabotte en lui prenant les mains. Mon vieux Ray...

Verte a évité les embrassades et autres effusions. Elle s'est précipitée à l'intérieur de la maison, elle a ôté son manteau et elle nous a servi deux verres de grenadine.

— Le jeune garçon n'est pas avec vous ? a demandé Anastabotte.

— Non, il a entraînement.

— Tant mieux, a remarqué Anastabotte. Nous serons plus tranquilles. Ce n'est pas qu'il m'ennuie, mais on ne peut rien faire tant qu'il est là.

Elle a sorti de son placard une bouteille d'un beau vert profond et elle l'a posée sur la table.

— Avant de nous y mettre, je vais boire un petit porto avec Ray. Nous avons à parler. Vous pouvez aller jouer, les filles…

Je n'en revenais pas. Non seulement elle était belle, non seulement elle sentait bon, non seulement elle connaissait mon prénom, non seulement elle était gentille… mais en plus on avait le droit de jouer. Verte m'a entraînée dans le jardin pour me montrer le portique et le poulailler. Je me suis assise sur une balançoire, elle s'est assise sur l'autre.

— Pourquoi elle a parlé d'un garçon ? Tu as d'autres amis ?

— Un seul. Il s'appelle Soufi.

— Je le connais ?

— Non, il est dans un autre collège.

— Tu ne m'en as jamais parlé…

— Je ne te connais pas depuis très longtemps…

— Tu ne me fais pas confiance ?

Elle s'est mise à rire.

— C'est juste que je n'ai pas encore eu le
temps !

Les balançoires grinçaient un peu.

— C'est lui qui a retrouvé mon père, a pour-
suivi Verte. Nous étions chez Anastabotte, elle a
fait un miroir liquide, il a regardé dedans, il a vu
mon père, qui était son entraîneur, et alors…

— Mais !… Elle n'a pas le droit de le laisser
regarder dans un miroir liquide ! C'est interdit !
Maman dit que les garçons ne doivent jamais
participer aux opérations… Il n'y a rien de plus
dangereux…

Verte sifflotait.

— Ta mère dit ça, ma mère dit ça, Anastabotte dit autre chose. Elle a fait jurer à Soufi
qu'il ne répéterait rien. Ensuite, elle a dit qu'elle
lui faisait confiance.

— Mais maintenant, il sait…

— Oui. Et alors ?

— Alors quoi ?

— C'est grave.

Verte a sauté de la balançoire.

— C'est grave si tu crois que c'est grave. Mais si tu ne le crois pas, ce n'est pas grave du tout, je t'assure.

Dans la maison, Anastabotte et Ray discutaient tous les deux devant leurs verres vides. En nous voyant arriver, Anastabotte a regardé sa montre.

— Je ne veux pas vous chasser, Ray. Mais le temps passe vite et nous avons à faire toutes les trois.

— Vous gardez la petite ? a demandé Ray en me désignant d'un mouvement du menton.

— Sa mère me l'a confiée. Vous passerez les reprendre en fin d'après-midi, comme d'habitude ?

Ray a repris sa veste et il est parti. Anastabotte ne l'a pas raccompagné jusqu'à la porte. Mais il était si à l'aise qu'on aurait dit qu'il était chez lui.

— Au travail, a dit Anastabotte.

Elle a attrapé son tablier sur le coin de la cuisinière et nous sommes descendues à la cave.

— Verte t'a bien expliqué la règle? m'a demandé Anastabotte.

Je n'ai pas répondu. Je regardais autour de moi. Comparé à la cuisine de ma mère, l'atelier d'Anastabotte, c'était Disneyland. Autour de la pièce principale s'ouvraient quatre ou cinq recoins, aux murs desquels étaient accrochées des étagères remplies de boîtes et de bocaux. Certains étaient sombres et humides, d'autres doucement éclairés par le jour des soupiraux. Toutes les installations nécessaires au travail étaient installées au centre, les tables, les bacs, les brûleurs et les alambics. Des visiteurs non avertis auraient pu croire qu'ils se trouvaient dans le laboratoire d'un chimiste ou dans l'atelier d'un artiste extravagant. Mais pour qui avait assisté une seule fois dans sa vie à une métamorphose, il était clair que c'était le repaire d'une sorcière. Et pas n'importe laquelle.

— Quelle règle?

— Je ne veux pas que vous vous serviez dehors de ce que vous apprenez ici. Le pouvoir est dangereux. À moins de savoir s'en servir, et d'être très prudente, c'est lui qui est le maître.

Méfiez-vous : c'est un mauvais maître, rusé, capricieux et cruel. D'ailleurs, toutes les histoires d'apprenties sorcières finissent mal.

Anastabotte nous fixait alternativement des yeux, Verte et moi. Elle n'avait pas l'air de plaisanter, elle ne souriait plus du tout.

— C'est compris ?

— Compris, ai-je dit.

Puis j'ai eu un doute.

— Mais quand on y peut rien ? Quand le pouvoir arrive tout seul sans qu'on le lui demande ?

— Par exemple ?

— Par exemple vendredi. Verte a vu des homoncules dans le marronnier de la cour du collège. Je les ai vus aussi. Pourtant je n'avais rien demandé, je ne les avais pas cherchés...

Anastabotte a haussé les épaules.

— Je ne peux pas vous empêcher de voir. Tout ce que je vous demande, c'est de ne pas intervenir.

Elle a réfléchi un instant.

— Des homoncules, c'est intéressant ! Dans la cour du collège ? Je me demande comment ils survivent au milieu d'une telle pagaille… Mais puisque vous êtes tombés dessus, nous allons les étudier. C'est un bon sujet de leçon.

Elle est allée fouiller dans un recoin et elle en est revenue avec un bocal rempli de formes grises et sèches. On aurait dit des sauterelles racornies. Verte regardait le bocal avec méfiance.

— Qu'est-ce que c'est ?

— Des homoncules.

— Morts ?

— Non. Déshydratés. Attends que j'en passe un sous le robinet…

Elle a ouvert le bocal et pêché l'une des formes grises du bout des doigts. Si c'était un homoncule, il n'avait plus très fière allure. Elle l'a placé sous le filet d'eau qui gouttait doucement au robinet de l'évier. Sous la douche, l'homoncule s'est lentement redressé. Il se remplissait, il gonflait à vue d'œil. Sa couleur gris terne cédait peu à peu la place à une belle transparence où venait se refléter la lumière.

— Regarde ! a crié Verte. Il bouge !

Anastabotte tenait l'homoncule par la taille, bien serré entre le pouce et l'index.

— Si je le tiens par les pieds, il est capable de se plier et d'essayer de me mordre. Ce n'est pas qu'ils soient méchants, mais ils sont comme les serpents. Ils ne peuvent pas faire autrement...

L'homoncule se débattait maintenant vaillamment. Anastabotte l'a jeté dans une petite cage grillagée et elle a vivement fermé le clapet. Ensuite elle nous a fait asseoir sur deux tabourets.

— Écoute-moi bien car je n'y reviendrai pas deux fois, a-t-elle prévenu et elle nous a parlé des homoncules.

Elle n'expliquait pas du tout comme ma mère. Par exemple, elle se fichait de savoir à quoi nous servaient les choses, à quels mauvais tours elles pouvaient nous être utiles. Elle se contentait de décrire la nature des êtres. Les homoncules sont les enfants de la mandragore, il y avait donc fort à parier qu'une mandragore vivait sous le marronnier de la cour. Ils n'ont aucune raison d'avoir des relations avec les humains. Ils ont affaire avec les plantes et avec les oiseaux. Et s'ils s'entendent avec eux, c'est qu'ils appartiennent aux espèces les plus anciennes qui aient existé sur terre. Les oiseaux sont les descendants directs des dinosaures et les homoncules, une branche cousine des démons. Ils restent invisibles aux hommes, qui sont une espèce très récente, et probablement à courte durée de vie. Seules les sorcières peuvent les voir, puisqu'elles sont apparentées aux esprits, qui sont infiniment plus vieux que les humains.

— J'aimerais que vous compreniez que chaque espèce voit midi à sa porte, a dit Anastabotte. Ce qui est important pour les humains n'a aucune importance pour les homoncules. Toutes les espèces habitent le même espace, mais la plupart n'ont même pas idée que les autres existent. La qualité de sorcière vous permet de percevoir l'existence de réalités que les humains ignorent. Mais elle ne vous donne aucun autre droit. C'est clair ?

L'homoncule s'agitait frénétiquement dans sa cage, il s'agrippait au grillage.

— Il me fatigue, celui-là, a soupiré Anastabotte. Je vais le lyophiliser, ça va le calmer pour un moment.

Elle a attrapé la cage et l'a balancé dans une centrifugeuse.

— Mais tu vas le tuer ! a protesté Verte.

— Tu penses ! a répondu Anastabotte en haussant les épaules. C'est increvable, ces trucs-là. Il gigotera toujours quand j'aurai disparu depuis des siècles.

Nous sommes remontées de la cave à l'heure du goûter. Anastabotte avait préparé de la pâte. Elle a sorti son gaufrier du buffet et elle l'a mis sur le feu.

— Alors, Pome, tu es contente ? m'a-t-elle demandé.

— Très contente. Elle est fondante en dedans et bien croustillante à la surface.

— Je te parlais de la leçon...

— Pardon ! Oui ! J'aimerais tellement revenir ! Vous n'enseignez pas du tout comme Maman. On n'a pas l'impression de devoir apprendre...

— Parfait. Je vais annoncer à ta mère que je prends le relais et qu'elle n'a plus à s'occuper de rien. J'ai mes propres méthodes pédagogiques. Ce n'est pas la peine de mélanger avec les siennes, tu risquerais de tout confondre. À partir de maintenant, je me charge de toi. Encore une gaufre ?

Le soir, quand je suis rentrée chez moi, ma mère m'attendait. D'habitude, elle est là, mais elle ne m'attend pas. Elle ne me pose pas de questions, elle ne s'intéresse pas à moi. Cette fois, tout était différent. J'avais à peine fermé la porte qu'elle s'est jetée sur moi.

— Comment c'était ?

— Très bien.

— Quoi, très bien ? C'est tout ce que tu as à dire ? Très bien ?

— Anastabotte nous a emmenées dans l'atelier.

— Quelle chance tu as… a gémi ma mère.

— Et elle nous a fait une leçon sur les homoncules.

— Elle a des homoncules chez elle ?

— Dans un bocal.

— Comment fait-elle ? a remarqué ma mère avec regret. Je n'ai jamais réussi à en attraper un. Elle est vraiment diabolique.

— Non, pas du tout diabolique. Très gentille, au contraire.

Ma mère a souri, de ce vilain petit sourire qui dit que vous êtes une belle cruche, ignorante et crédule. Anastabotte, gentille? Elle n'était pas assez sotte pour le croire, elle. Ma mère pense que, pour réussir quoi que ce soit dans sa vie, il faut être méchant. Elle imagine que, pour ne pas se laisser marcher sur les pieds, il faut savoir écraser les pieds des autres. Avant, je lui en voulais. Aujourd'hui, je la plains. La méchanceté n'est pas une arme de défense, ni même d'attaque. La méchanceté n'est rien d'autre que du temps perdu. C'est la première leçon que j'aie reçue d'Anastabotte.

Les bénéfices de la leçon du mercredi se sont vite fait sentir. Ce n'est pas tellement que j'étais meilleure en sorcellerie... C'est que ma mère avait renoncé à me surveiller comme un prisonnier spécialement retors et dangereux. Je pouvais rester chez Verte aussi longtemps que je le désirais, elle ne me faisait plus aucune remarque. Je suis sûre qu'elle était soulagée de pouvoir se reposer sur une femme plus forte qu'elle. Anastabotte avait pris mon destin en main, elle n'avait plus à se faire de souci. J'ai pensé qu'elle n'avait jamais fait exprès de se montrer si tyrannique.

Elle était juste trop consciencieuse. Soucieuse de bien faire. Excessivement responsable. Et tous ces sentiments honorables n'aboutissaient qu'à une chose : me pourrir la vie.

Du jour au lendemain, notre quotidien est devenu plus calme et plus doux. Elle s'est mise à saluer Gérard, et même parfois Raymond, quand elle les croisait dans l'entrée de l'immeuble. Elle a rangé sa cuisine dégoûtante, elle a acheté de la peinture bleu ciel pour repeindre les murs. Elle a même proposé de m'accompagner en ville pour m'acheter un blouson en lamé doré, mais je n'en avais plus besoin. Je l'ai remerciée et les choses en sont restées là.

Et puis, le dimanche matin, Gérard a sonné à la porte. Il portait un ballon de foot coincé sous son bras. Il venait me chercher pour m'emmener au stade, avec Verte. Une semaine plus tôt, elle lui aurait claqué la porte au nez.

— Avec plaisir, a-t-elle dit et elle a souri de toutes ses dents.

Elle a même ajouté :

— Merci beaucoup.

Elle était plantée sur son seuil, stupéfaite elle-même de tant de nouvelle amabilité. Je ne l'ai pas laissée réfléchir trop longtemps. J'ai filé chercher mes chaussures de sport et j'ai dévalé l'escalier.

J'ai tout de suite bien aimé le foot. C'est sans doute que j'adore courir. Parce que, pour ce qui est du ballon, je pourrais aussi bien faire sans. On dirait qu'il me fuit. Quand je regarde Verte faire danser le ballon au bout de son pied, j'ai l'impression qu'il n'y a rien de plus facile au monde. Mais quand j'essaie à mon tour, j'ai à peine le temps d'envoyer un coup de pied qu'il a déjà filé à l'autre bout du stade. C'est décourageant.

Gérard n'arrêtait pas de me donner des conseils. Il recommençait sans cesse les mêmes passes en espérant que je finirais par en rattraper une. Il bondissait autour de moi, il faisait tant et si bien qu'il a fini par déraper sur la pelouse boueuse. Il est tombé de côté, sur sa jambe pliée. Et quand il a tenté de se relever, il était clair qu'il venait d'endommager gravement la machine. Il a enlevé sa chaussure et son pied s'est mis à gonfler comme une madeleine géante. «Chic», ai-je pensé. «La double entorse de rêve, exactement celle que je répare en un tour de main.»

D'abord, j'ai hésité. J'ai pensé que je n'avais pas le droit. Que c'était interdit. Que je serais punie. Toute seule, je n'aurais jamais osé. Mais nous étions deux. Verte était avec moi.

— Qu'est-ce qu'on s'en fiche que ce soit permis ou pas? a-t-elle dit. Regarde-le, il s'est évanoui. Tu préfères désobéir ou le laisser souffrir?

— Si ma mère l'apprend, elle me tue.

— Elle ne le saura jamais.

— Anastabotte ne serait pas d'accord.

— Anastabotte a bien fait un miroir liquide devant Soufi... Quand c'est pour la bonne cause, elle est toujours prête à faire celle qui ne voit rien. Gérard est une très bonne cause. Si je savais le faire, je te jure que je le ferais moi-même...

La vérité est que je me fichais, à ce moment-là, de ce que pouvaient dire ma mère, Anastabotte et toutes les sorcières du monde.

La seule chose qui importait était l'avis de Verte. Le jugement de Verte. Le respect de Verte. J'ai retroussé mes manches, j'ai concentré toute ma force dans mes avant-bras et j'ai pris la cheville dans mes mains. Pour être tordue, elle était complètement tordue. Muscles et tendons s'étaient entortillés autour des os. Tout ce qui peut bouger sous une peau avait glissé sens dessus dessous. Une vraie bouillie. Mais on allait voir ce qu'on allait voir... J'ai ramené toute ma puissance mentale dans mes paumes et le long de mes doigts, j'ai visualisé la chair, et j'ai imprimé profondément les mains sur la peau. Je sentais l'énergie venir des cinq points de mon corps et se concentrer dans mes doigts. Le flux dégageait une forte chaleur et je pouvais voir la couleur rouge affluer par transparence sous ma peau. Progressivement, les tendons se sont amollis, les muscles se sont détendus, les os se sont apaisés, et tout s'est remis calmement en place. Quand j'ai ôté les mains de la cheville, elle avait complètement dégonflé.

— C'est fait, ai-je dit.

J'ai secoué les mains et les avant-bras pour en ôter la fatigue. Verte contemplait la jambe de son père.

— Trop forte, a-t-elle remarqué en levant les yeux vers moi.

Sa voix a dû réveiller Gérard, qui a ouvert les yeux. Je n'avais pas très envie qu'il pose des questions sur ce qui venait de lui arriver. Pour le distraire, je me suis mise à bondir sur place, histoire de montrer qu'on pouvait reprendre le foot. Ce n'est pas que j'adore courir après son ballon. Mais il me semblait que c'était la meilleure solution.

— On range le ballon, a dit Gérard. Il est temps de rentrer déjeuner.

Là-dessus, il s'est tu et il m'a regardée longuement en silence. Puis ses yeux se sont posés sur Verte, puis ils sont revenus sur moi... Il a hoché la tête, toujours en silence. J'avais l'impression de voir les pensées se presser sous son crâne. Ce type venait de comprendre de qui exactement il était le père. Il avait un peu de mal à digérer l'information, c'était clair.

— Je crois qu'on vient de faire une grosse

erreur, ai-je glissé à Verte sur le chemin du retour.

— Pourquoi tu t'inquiètes ?

— Gérard. Il a compris.

Verte a haussé les épaules.

— Je ne vois pas où est la bêtise. S'il a compris, c'est qu'il voulait bien. Il y a déjà longtemps qu'il aurait dû...

— Je te dis que ça va faire des histoires.

— Ça fera des histoires si on veut que ça fasse des histoires. Mais si on ne veut pas, ça ne fera rien du tout. Je t'assure.

Soufi, et maintenant Gérard. C'était à croire que Verte voulait mettre tout le monde au courant. Qu'est-ce qu'elles allaient dire, les autres, les mères, les grands-mères, et l'armée de leurs amies ? Je ne pouvais pas m'empêcher d'être inquiète. Et ce n'était pas désagréable. C'était même délicieux.

— Arrête de te faire du souci pour n'importe quoi, a dit Verte en courant vers l'immeuble. Tout est beaucoup plus simple que tu ne crois. Tu verras.

Ce qu'en disait Gérard
(La voix d'un père)

Je me demande ce qu'elles ont encore à se dire. Elles ont passé l'après-midi à bavarder. Quand Pome s'est enfin décidée à rentrer chez sa mère, Verte s'est collée sur la messagerie. Puis elle a pris le téléphone et elle s'est enfermée dans sa chambre. Et je l'entends glousser derrière sa porte depuis une demi-heure. C'est vrai qu'elles n'ont plus beaucoup de temps ! Il va falloir dîner. Se coucher. Et attendre que passe toute la nuit... avant de se retrouver pour partir au collège. C'est long, une nuit. Heureusement qu'elles dorment. Pendant ce temps-là, au moins, elles ne se manquent pas.

Je rêvais, autrefois. Je pensais que tout serait simple, une fois que nous serions réunis et qu'elle serait là, chez elle chez moi. Mais la réalité est contrariante : nous sommes réunis, elle est chez elle chez moi... et elle n'est jamais là. Quand elle n'est ni chez sa mère, ni chez sa grand-mère, ni avec Soufi, ni avec Pome, elle est chez mon père. Je n'irais pas jusqu'à dire qu'elle se fiche de moi comme de sa première culotte. Je pense qu'elle m'apprécie à sa façon. Mais elle n'a pas l'usage d'un père à longueur de journée. Elle aime bien m'avoir dans les parages. À condition de ne pas m'avoir dans les pattes. Il lui suffit de savoir que j'existe, quelque part, pas trop loin. Elle est contente comme ça.

J'en connais un qui n'a pas autant d'états d'âme. Mon père. Il a suffi qu'on lui colle une petite-fille sous les yeux en lui déclarant qu'elle était à lui, et il s'est transformé sur l'instant en grand-père. Il est devenu LE grand-père. Le grand-père absolu. Le grand-père de tous les grands-pères. Vu qu'il n'y avait plus de grand-mère à côté de lui pour jouer le rôle, il n'a pas hésité. Il fait aussi grand-mère. Il met le tablier, il cuit les crêpes, il cache les bêtises de sa petite-fille et c'est moi qu'il tyrannise quand elle se tient mal. Quand je pense qu'il m'a pourchassé toute mon enfance pour que je me tienne plus droit, que je sois plus fort, moins émotif, moins bavard, plus travailleur, plus bagarreur, moins gentil, plus tenace… j'ai du mal à le reconnaître. Il a beau faire semblant de râler, il ramollit. Les rares fois où il remet Verte à sa place, il a du mal à garder son sérieux plus de cinq minutes. À peine a-t-il fini de la sermonner qu'il la couvre d'excuses, de compliments et de bonbons. Raymond est devenu complètement gâteux.

Je ne lui fais pas la moindre réflexion. Je sais d'expérience que rien ne sert de discuter. Il n'écoute rien, il n'entend rien. Il pense qu'il sait tout.

La seule qui ait réussi à le domestiquer, c'est Verte. Elle lui a appris les charmes du bavardage. De toute mon enfance, je ne me souviens pas de l'avoir entendu ouvrir la bouche pour dire autre chose que ce qu'il jugeait utile ou nécessaire. «Passe-moi le pain!» «Tiens-toi droit!» «C'est quoi ce bulletin ? » « Arrête de parler cinq minutes, on n'entend plus la radio ! »

On parlait beaucoup chez nous. Mais sans lui. Je passais des heures à bavarder avec ma mère. Raymond nous observait de loin. Un jour que nous étions lancés dans une bonne conversation, ma mère s'est installée à côté de moi, à l'arrière de la voiture, pour ne pas s'interrompre. Elle l'a laissé s'asseoir à l'avant, tout seul devant son volant. C'est ce jour-là qu'il a décidé de m'envoyer en pension.

Il espérait que je perdrais mes mauvaises habitudes. Que je deviendrais un homme selon l'idée qu'il s'en faisait : un être doué de volonté et privé de parole. Malheureusement pour lui, la pension était pleine de nouveaux interlocuteurs de mon âge. Je suis revenu chez nous plus bavard que je n'en étais parti. Et ce n'est pas tout... Aux joies de la parlotte j'avais ajouté une nouvelle distraction. J'avais découvert le foot. Le terrain s'étendait derrière l'école. À la fin des cours, nous nous précipitions sur la pelouse. Et là, je dribblais. Il pouvait pleuvoir, la chaleur pouvait nous étouffer, il pouvait faire nuit, il pouvait geler... j'avais ce ballon au bout du pied et je dribblais. C'était bien le seul moment de la journée où j'étais capable de la boucler. Cette année de pension a été l'une des plus profitables de mon existence. Cher papa! Tout ce qu'il a réussi dans la vie, c'est sans le faire exprès, contre ses principes et à l'encontre de ses projets. Lui qui avait programmé un fils silencieux, impassible et pantouflard, s'est retrouvé le père d'un fils loquace, sensible et sportif.

Pauvre vieux... Il n'avait pas imaginé, lui non plus, que nous perdrions Monique si tôt. Qu'il faudrait apprendre à faire sans elle, elle qui nous était plus nécessaire que l'eau, le pain et le sel qu'elle apportait à table. J'ai quelques raisons d'en vouloir à mon père. Mais je suis obligé de reconnaître que c'est un type qui sait se montrer solidaire dans la tempête. Il s'accroche à vous. Au point de vous asphyxier, de vous étrangler, de vous étouffer... Mais vous pouvez compter sur lui. Il ne vous lâche pas.

Quand Ursule a disparu en emmenant Verte, il n'a pas cherché à abuser de la situation. Il aurait pu. Il n'a jamais aimé Ursule. Je le soupçonne même de la détester de tout son cœur. D'autres que lui en auraient profité pour me jouer l'air du «je te l'avais bien dit...».

Il a acheté, pour nous y installer, deux appartements trop chers dans un immeuble trop près du stade. Il a confié le déménagement à une bande de branquignoles qui m'ont perdu une armoire et cassé deux lustres. Il m'a enquiquiné tous les jours pour que je m'habille comme un pingouin, de peur que je ne me laisse aller. Tous les soirs, il m'a obligé à passer à table avec lui pour avaler une blanquette trop grasse. Il m'a consciencieusement gâché la vie. Et il m'a certainement sauvé la vie. Sans lui, je ne sais pas comment j'aurais survécu à toutes ces années sans ma fille.

C'est peut-être parce qu'elle semblait avoir tellement besoin de moi que je suis tombé amoureux d'Ursule. Elle ne savait pas faire grand-chose quand je l'ai rencontrée. Nulle en cuisine, nulle en ménage, nulle en bricolage, nulle en mécanique, nulle en tout. Mais tellement marrante. Elle adorait bavarder. J'avais presque oublié, depuis que j'avais perdu Monique, combien il est bon de parler pour le plaisir. L'amour est venu de là, de sa confiance et de nos conversations. Et de son art pour peupler la vie de miracles quotidiens.

Avec elle, tout était inattendu, surprenant, excitant. Il faisait toujours beau dans les parcs où nous nous promenions, et toujours elle trouvait des fleurs au bord des chemins. Notre appartement était rempli de plantes parfumées. La nuit, quand les nuages obscurcissaient le ciel, notre lit était baigné de lune. Elle savait se faire comprendre de tout ce qui bougeait, les oiseaux, les chiens et même les arbres. Il me suffisait de désirer quelque chose pour que ce quelque chose se produise. Nous ne cessions de croiser dans la rue les gens que je rêvais de rencontrer. On aurait dit qu'ils se donnaient rendez-vous sur les trottoirs où nous marchions. Ils s'arrêtaient en nous apercevant, ils nous souriaient, et nous échangions quelques mots aimables.

— Je n'arrive pas à y croire, disais-je à Ursule, alors que nous venions de bavarder avec un célèbre acteur italien ou mon ami Armand, de la grande section de maternelle. Je pensais à lui ce matin…

Mais si je n'avais pas envie de voir un voisin désagréable ou un collègue ennuyeux, je pouvais devenir transparent. Je ne pouvais pas me douter qu'un jour c'est moi qui deviendrais indésirable, et Verte transparente… Je me disais simplement qu'Ursule m'aimait assez pour lire dans mes pensées.

— Bien sûr que je lis dans tes pensées, a-t-elle fini par me dire. Tu ne vois pas que je suis une sorcière ?

J'ai haussé les épaules.

— Tu préfères que je n'en parle pas ? Tu préfères que je garde mes secrets pour moi ?

J'ai répondu sans réfléchir :

— Je ne te demande pas de tout me dire. Tu peux garder tes mystères.

Elle a eu un petit sourire.

— Je ne te trouve pas très curieux.

J'ai souvent repensé à cette conversation. Si je l'avais interrogée à l'époque, il lui aurait été moins facile de me berner. Mais, comme un paresseux, j'ai préféré ne rien demander. Quand on est amoureux, il est difficile d'imaginer qu'un jour on déchantera.

Les choses se sont gâtées quelque temps après la naissance de Verte. J'aurais dû me montrer plus attentif. Mais j'étais incapable de méfiance. J'étais heureux. C'est tellement léger, la première fois qu'on vous met un bébé dans les bras. Elle ne pesait pas plus lourd qu'un filet d'oranges. Elle était posée sur mes avant-bras, elle ne bougeait pas, elle ne pleurait pas, elle écarquillait des yeux stupéfaits et qui ne me voyaient pas.

J'étais là, dans la chambre de la clinique, quatre-vingt-quinze kilos de paternité et trois kilos de bébé sur les bras. La sage-femme attendait que je me remette de mon émotion et que je lui rende mon trésor pour qu'elle s'occupe de lui.

— Elle s'appelle comment, cette jolie petite fille ? m'a-t-elle demandé gentiment.

— Rose.

Ursule s'est redressée sur son oreiller.

— Verte, a-t-elle murmuré.

Je ne l'ai pas entendue. J'étais trop occupé à regarder mon bébé.

— Verte, a répété Ursule. Elle s'appelle Verte.

Elle n'a pas voulu en démordre. Je me suis laissé convaincre. Quelle importance ? Ma fille aurait pu s'appeler Irmengarde ou Argentrude, je l'aurais aimée de la même façon. Par la suite, Ursule a prétendu qu'elle m'avait ensorcelé. Non seulement elle exagère tout, mais il faut absolument qu'elle s'attribue le beau rôle. Qu'importe. Notre petite poulette s'appelait Verte, et je n'étais pas loin de trouver cela mignon.

Le bonheur a duré quelques mois, avant qu'Ursule me le retire. Elle a remplacé les herbes qui embaumaient l'appartement par des plantes malingres et qui dégageaient une odeur fétide. Elle qui n'avait jamais touché une casserole a pris le pouvoir dans la cuisine. Elle nous préparait des repas au goût amer, qu'elle me regardait manger en grimaçant. Elle me parlait de moins en moins. Nous avons cessé de sortir dans les parcs et de dîner dans les restaurants.

Elle ne m'aimait plus beaucoup. Mais le plus grave restait à venir. Du jour au lendemain, elle a décidé de reprendre sa fille. C'est à elle qu'elle parlait, c'est avec elle qu'elle se promenait. Elle me fixait d'un œil morne quand je la changeais, quand je lui donnais son biberon ou son bain. Enfin, elle a porté le coup de grâce. Un soir, en rentrant chez moi, j'ai trouvé l'appartement vide. Elle m'avait laissé mes habits, le lit, la vaisselle, et ses horribles plantes fanées dans leurs pots. Elle avait emporté le reste. Tout le reste. Ma fille.

Longtemps, j'ai cru qu'elles reviendraient. Je les ai attendues, seul dans l'appartement déserté. Je ne sortais plus, de peur de les manquer quand elles arriveraient. Jusqu'à ce matin où Raymond a sonné chez moi, une grande valise à la main.

— Laisse tomber, mon fils, m'a-t-il dit en entassant mes vêtements dans la valise. Elles ne reviendront pas. Je te ramène à la maison.

Qu'est-ce qui fait qu'on n'aime plus? Je n'aurai sans doute jamais l'explication exacte de ce qui s'est passé. Et je n'y tiens pas tant que ça.

J'ai autre chose à faire qu'à chercher des raisons et à réclamer des comptes. J'ai toute une famille sur les bras. Dire que, il y a moins d'un an, je me désolais de ma solitude…

— De quoi tu te plains ? a grogné Raymond hier. Avant, ce n'était pas assez et maintenant c'est trop ? Quand je pense que tu pleurnichais sans cesse après ta fille… Tu l'as retrouvée et tu trouves encore le moyen de râler !

J'étais en train de vider la voiture de toutes les courses qu'il m'avait envoyé faire au supermarché. Le coffre était rempli à ras bord. C'est une chance qu'il habite au rez-de-chaussée.

— Les filles ne pourraient pas m'aider à décharger la voiture ? Si ce n'est pas trop leur demander…

Raymond a crié dans le couloir de l'appartement :

— Verte ! Pome ! Gérard a besoin d'un coup de main !

Elles sont sorties de la chambre de Verte en pouffant, elles avaient les yeux brillants d'avoir trop ri.

— Qu'est-ce qui se passe ? ai-je demandé.

— Rien, a répondu Verte.

— Rien, a répété Pome.

J'ai rempli les armoires de Raymond d'une quantité invraisemblable de paquets de gâteaux, de sachets de farine et de boîtes de sardines. Puis j'ai bourré le frigo d'assez de viande et de légumes pour faire tourner un restaurant pendant trois semaines.

Raymond me regardait faire en me bombardant d'ordres incohérents.

— Dans le frigo, tout ça ! Mais qu'est-ce que tu fabriques avec mes fruits ! Enfin, Gérard ! Pas dans le frigo, les fruits !

— Papa, tu ne crois pas que tu exagères ?

Il m'a lancé un regard offusqué.

— On voit bien que ce n'est pas toi qui fais à manger ! Tu sais ce que ça avale, des gosses et un entraîneur ? Tu sais ce que ça engloutit, toute cette bande que tu m'as collée sur les bras ?

Il se dandinait, les poings sur les hanches, rouge d'indignation. Cher vieux schnock... Qu'est-ce qu'il ferait de ses journées si nous n'étions pas là pour vider son frigo et dévorer son temps ?

Au début de notre nouvelle vie, j'ai voulu croire que ma fille souriante, toujours contente, avait hérité son joyeux caractère d'ancêtres lointains. C'est en allant la chercher chez Ursule, un dimanche soir, que j'ai revu mes espoirs à la baisse.

— Dépêche-toi de l'emmener, a dit Ursule en m'ouvrant la porte. Elle est odieuse, je ne peux plus la supporter.

J'ai entendu une porte claquer.

— Verte! a appelé Ursule. C'est ton père!

— Pas la peine de hurler! a crié une voix du fond de l'appartement. Je ne suis pas sourde!

Ursule s'est tournée vers moi, désemparée.

— Tu entends comment elle me parle? Je ne peux plus rien lui dire...

Verte est enfin arrivée, son sac sur le dos. Mal coiffée, le visage buté, elle s'est jetée à mon cou.

— Viens, on s'en va.

Ursule m'a lancé un regard si las que j'ai eu pitié d'elle.

— Dis au revoir à ta mère.

— Salut, a fait Verte.

— Dis au revoir gentiment.

À regret, elle s'est tournée vers Ursule et lui a collé sur les joues deux baisers secs comme deux coups de bec.

— C'est fait, a-t-elle dit, et elle m'a pris par la main.

J'ai retiré ma main de la sienne.

— Je n'aime pas beaucoup la façon dont tu te comportes.

— Qu'est-ce que j'ai fait de mal ? Vous êtes toujours en train de me critiquer…

Elle m'exaspérait. Je l'ai attrapée par l'épaule et je l'ai poussée jusqu'à la voiture.

— Toi, ai-je dit en démarrant, c'est fou ce que tu peux ressembler à ta mère quand elle est mal lunée…

— Pas du tout, a-t-elle répliqué. Je ressemble à Papi Ray. Demande-lui ce qu'il en pense, tu verras bien.

Elle n'avait pas complètement tort. Au royaume des têtes de lard, son grand-père vaut bien sa mère.

— Dommage que tu ne me ressembles pas un peu plus, ai-je remarqué.

Elle s'est enfoncée dans son fauteuil et elle a ri.

— Papi Ray a raison : tu n'as aucune psychologie. Tu n'as jamais remarqué que je te ressemblais un peu ? Jamais ?

Elle n'avait pas tort. Nous avons un point commun. C'est au stade que je l'ai découvert, un dimanche matin, à l'heure où la pelouse est encore vide. Il faisait grand soleil et j'avais hâte de me dégourdir les jambes. Je suis descendu sur la pelouse avec ma fille et j'ai lancé un ballon devant elle.

— Montre-moi ce que tu sais faire…

Elle est partie en courant. Quand elle est revenue, les joues cramoisies, les yeux brillants, elle faisait danser le ballon au bout de ses pieds. J'en suis resté muet. Cette gosse fait partie du cercle très fermé de ceux que le ballon aime. C'est injuste, mais c'est comme ça. La balle lui colle au pied.

Le dimanche suivant, il pleuvait. Elle n'a pas rechigné quand je lui ai tendu son coupe-vent. Le miracle s'est reproduit. Elle dribblait comme si elle avait toujours su. Au bout de quelques minutes, des gamins du quartier nous ont rejoints et j'ai formé deux petites équipes. Là, j'ai compris qu'elle possédait l'intelligence du terrain. Elle anticipait les mouvements naturellement. Elle était à la fois calculatrice et spontanée. Pas de doute, du point de vue du ballon, nous étions bien pareils l'un et l'autre.

— Je vais t'inscrire à l'entraînement, ai-je lancé quand nous avons quitté le stade.

Elle m'a lancé un regard consterné.

— Pourquoi ?

— Tu es douée…

— Est-ce qu'on est obligé de s'entraîner chaque fois qu'on est doué ?…

— Parce que tu aimes ça, alors.

— J'aime bien quand c'est un jeu. Si ça devient du travail, ce n'est plus du tout la même chose.

Elle avait une grimace si déconfite que j'ai éclaté de rire.

— Très bien, ai-je dit. On se contentera de jouer le dimanche.

— Je pourrai amener Pome ?

— Si tu veux.

— Tu pourrais aussi aller chercher Soufi…

— On verra. Mais dépêche-toi... Il est midi, et Raymond déteste les retardataires.

Le dimanche suivant, nous étions trois sur la pelouse, Verte, Pome et moi. La petite est moins douée que ma fille, mais elle est enthousiaste. J'ai toujours considéré que l'important n'était pas de former des champions mais d'aider les mômes à s'épanouir. Je m'efforçais donc de lui passer des balles faciles qu'elle puisse reprendre sans trop d'acrobaties. Je m'agitais si bien que j'ai glissé sur la pelouse humide. J'ai fait ce qu'un bon sportif ne fait jamais : je suis mal tombé. Quand j'ai voulu me relever, une douleur aiguë m'a traversé la jambe. La souffrance était si vive que je suis retombé lourdement sur l'herbe. Péniblement, j'ai dénoué les lacets de ma chaussure. Ma cheville avait pris une couleur violette du plus mauvais effet. Elle gonflait à vue d'œil. Debout en face de moi, Verte et Pome regardaient mon pied. Elles semblaient passionnées par ce qui était en train d'arriver à ma cheville.

— Vous pourriez dire quelque chose au lieu de rester plantées là comme deux piquets !

— Ce n'est pas grave, a fait Verte d'un ton si calme que je lui aurais envoyé une gifle si je n'avais été cloué au sol.

— Non, a approuvé Pome. C'est même assez facile.

Elle s'est tournée vers Verte.

— Je crois que je sais le faire, celui-là. Et toi ?

— Je ne sais pas. Je n'ai pas encore appris.

— J'ai une entorse qui me fait horriblement mal et vous trouvez que c'est le moment de jouer au docteur ?

— Je ne suis pas sûre que ce soit une simple entorse, a remarqué Pome.

La tête me tournait. Je me suis allongé sur le sol en attendant que passe l'étourdissement. J'ai fermé les yeux. J'entendais les deux filles discuter. Leurs voix me parvenaient de très loin.

— Moi, je veux bien essayer, disait Pome, mais ça risque de faire des histoires. Maman ne veut pas que je m'en serve. De toute façon, je n'ai le droit de me servir de rien. Tout est interdit. Je me demande même pourquoi elle me donne des leçons.

— Mais regarde-le, il est complètement dans

le sirop. Il ne se rendra compte de rien. Il pensera que son pied a guéri tout seul.

— Tu en es sûre?

— Certaine. Il est tellement normal qu'il ne peut pas même imaginer ce qui va lui arriver.

— S'il y a des problèmes, tu diras que c'est toi...

— Je te le promets.

J'ai senti leurs petites mains relever la jambe de mon pantalon jusqu'au genou. Quand j'ai voulu protester, je n'ai pas réussi à émettre autre chose que des sons inarticulés. Quelque chose comme «brelembrrellemme»... On a dû me trouver bien anxieux parce que deux petites mains se sont posées sur mes yeux, puis sur mon front, puis sur mes tempes, tandis que deux autres petites mains tripotaient mon mollet, mon pied et ma pauvre cheville. Elles n'y mettaient pas beaucoup de douceur mais, là où elles passaient, je ne ressentais aucune douleur.

— C'est bon, a lancé Pome, j'y vais.

Les mains se sont posées fermement sur mes chevilles. Elles se sont imprimées dans ma peau, on aurait dit qu'elles s'y enfonçaient lentement.

Une chaleur intense a envahi ma jambe. La sensation ne cessait de grandir mais je n'éprouvais aucune inquiétude. Un grand soulagement plutôt, qui se diffusait dans tout mon corps.

— Je crois que c'est bon, a murmuré Pome.

Les petites mains se sont éloignées de ma cheville.

— Regarde, a soufflé Verte, on ne voit plus rien. Tu l'as super bien réussi !

— Je sais, a répondu Pome — elle ne faisait aucun effort pour avoir l'air modeste. Je peux réduire à peu près n'importe quoi.

Verte devait se sentir en reste. Je l'ai entendue qui disait sentencieusement :

— Moi, je sais couper le feu.

— Je n'ai pas encore appris. Tu m'expliqueras ?

— Anastabotte te montrera. Elle est super forte pour le feu et pour l'eau.

J'ai ouvert les yeux.

— Grembelgrembelle...

— On dirait que ça va mieux, mon petit Papa, a constaté Verte en se penchant sur moi. C'était juste une petite chute de rien du tout.

Je me suis assis. J'ai jeté un coup d'œil à ma

cheville. Elle avait retrouvé toute sa finesse. Ma peau avait repris sa belle couleur d'ivoire. Très doucement, je me suis relevé. J'avais un peu peur, mais rien… Plus la moindre douleur. Même pas une sensation de gêne.

— On dirait que j'ai fait des histoires pour pas grand-chose, ai-je dit.

Les deux filles m'ont souri d'un air enjôleur. Pome s'est mise à sautiller sur place.

— On peut recommencer ? Avec le ballon ?

J'ai regardé ma montre. Midi approchait. J'entendais déjà Ray protester dans sa cuisine.

— La semaine prochaine, ai-je proposé. Pour aujourd'hui, je crois que ça suffit.

J'y ai pensé toute l'après-midi. Puis toute la nuit. Puis toute la journée du lundi. Enfin, j'ai décroché mon téléphone. La sonnerie a retenti dans le vide. Puis le répondeur s'est mis en marche.

— Ursule, ai-je dit, c'est Gérard. Avec quinze ans de retard, je viens de comprendre une chose essentielle. Tu es une sorcière, ta mère en est une autre, et notre fille une troisième. J'aurais dû m'en rendre compte il y a des années. Tu aurais pu toi-même m'en parler un peu plus clairement. Nous nous serions évité bien des ennuis. Mais le passé est le passé, ce qui est fait est fait. Je ne te fais aucun reproche. Tout ce que je te demande, c'est de me tenir au courant des décisions que tu comptes prendre concernant notre vie commune. Inutile de t'enfuir à nouveau comme une voleuse avec ta fille. Je suis un homme averti, tu peux me tenir informé. Au revoir et à bientôt.

J'ai raccroché. Je me sentais très heureux, ce soir-là, en rangeant l'appartement avant d'aller me coucher. J'aurais pu me faire un sang d'encre, en imaginant les surprises plus ou moins agréables qu'on encourt à vivre parmi les sorcières. Mais, curieusement, rien ne me semblait si grave. Elles étaient sorcières ? Eh bien, il suffisait de le savoir. Pour un type qui avait passé une bonne partie de son existence parmi les sportifs, qui ne sont pas parmi les caractères les plus faciles, il était sûrement possible de vivre en bonne entente avec des sorcières.

CE QU'EN DISAIT VERTE
(La voix d'une fille)

Ma vie n'est pas très longue. Elle se compose surtout d'enfance. Mais je suis la preuve qu'une vie courte et enfantine peut être pleine d'événements importants. Sans compter son avantage majeur : je suis encore capable de me souvenir de tout. Quand je pense à ma vie, je la trouve plus intéressante que tout le règne de Louis XIV et toutes les guerres de Napoléon réunis. J'ai été un œuf, un poisson, un fœtus, un bébé, un petit enfant qui apprend à voir, à parler, à marcher, qui lit et qui part pour l'école, qui apprend à nager et à monter sur un vélo, j'ai été une petite fille et, un jour, j'ai été une sorcière... Je n'ai pas cessé de me transformer. Mes dents ont poussé, elles sont tombées, elles ont repoussé, mes os se sont allongés. J'ai fabriqué des cheveux, des ongles, des muscles, des cartilages, des membranes et de la peau supplémentaires. J'ai l'impression d'être toute l'histoire du monde résumée dans une seule personne. Quand j'y réfléchis, j'ai le vertige. Heureusement, je n'y réfléchis pas souvent.

Dans cette vie faite d'événements saisissants, j'ai connu un « avant » et un « après ». Ou plutôt un « avant » et un « avec ». Avant Pome. Avec Pome. La séparation entre les deux époques est bien visible : « avec » est mon histoire, « avant » ma préhistoire. Avant Pome, je suis toute seule de mon espèce. Je ne connais personne qui me ressemble. On dirait que la Nature s'est trompée en me créant. Je suis un exemplaire unique. Autant dire une erreur. Je vis dans un monde peuplé de créatures géantes et plus ou moins bienveillantes. Je suis une mangouste au milieu des dinosaures. Les adultes, qui sont des dinosaures, existent depuis la naissance du monde. Beaucoup sont pacifiques et ruminants, quelques-uns belliqueux et carnassiers. Il m'arrive de temps en temps de croiser d'autres petits animaux à sang chaud, comme mon ami Soufi. Mais nous ne sommes pas tout à fait semblables. Par exemple, je suis sorcière et Soufi ne l'est pas. Il est pourtant ce qui se rapproche le plus de moi. Il est mon allié.

Tous mes souvenirs de l'avant sont environnés d'une sorte de brouillard. Ils ne sont pas malheureux, ils ne sont pas follement heureux non plus. Ils sont brumeux. C'est peut-être la première étape avant l'oubli. Tout le temps de l'enfance, je sais que je suis seule… Mais j'ignore qu'il est possible de ne pas l'être. Si bien que je n'en souffre pas.

Tout change le jour où je découvre Pome. Si j'avais été un enfant élevé au milieu des loups, ou des gorilles ou des poissons-lunes, j'aurais certainement été bouleversée de rencontrer pour la première fois un autre être humain. C'est un peu ce qui se passe quand je fais la connaissance de cette fille. Je l'attends dans le hall d'entrée de l'immeuble, devant les boîtes aux lettres. Papi Ray m'a parlé d'elle, un soir que je m'étais disputée avec Papa. Depuis, j'ai très envie de la voir. J'ai le sentiment que notre rencontre va engendrer quelque chose d'important. Alors j'espère, sans avoir une idée très claire de ce que j'espère.

Elle me plaît tout de suite. Je n'ai pas d'effort à faire pour lui sourire, lui parler, la comprendre. Les mots, les attitudes me viennent naturellement. Je vois bien que, de son côté, les choses sont pareilles. Tout se passe comme si chacune de nous venait de rencontrer son reflet dans un miroir. C'est une drôle d'impression de se découvrir, pour quelqu'un n'a jamais vu son reflet de sa vie. Je souhaite passer avec elle tout le temps que j'ai. Je suis curieuse de ce qu'elle pense et de ce qu'elle dit. J'aime lui parler et qu'elle m'écoute. Et j'aime le son de son rire.

Désormais, quand je serai seule, elle me manquera. Mais ce n'est pas si grave. Une amie ne vous laisse jamais complètement seule. Son absence, c'est la présence de son souvenir. On pense à elle sans tristesse, et tout à la joie de la revoir bientôt.

Mon pauvre petit Papa. Pourvu qu'il n'apprenne jamais ce qui passe par la tête de sa fille. Il serait trop déçu. C'est tout l'ennui d'être l'enfant de quelqu'un. Rien n'a la même importance pour vous et pour lui. Je suis sûre que, si je lui parlais de l'avant et de l'avec, il penserait « avant Papa » et « avec Papa ».

Il n'aurait pas tout à fait raison. Mais pas complètement tort non plus. Qu'est-ce que je serais devenue sans lui, coincée entre ma mère et ma grand-mère ? J'aurais séché sur pied. Il m'a sortie de chez moi, il a agrandi mon univers, il m'a donné un grand-père, et pour finir c'est grâce à lui que j'ai connu Pome…

Aujourd'hui, j'ai tout ce qu'il faut : un père, une mère, un grand-père, une grand-mère, un ami, une amie. Toutes ces filles qui rêvent d'être sorcières n'y connaissent rien. Le vrai luxe dans la vie, c'est de pouvoir compter sur des gens qui vous aiment.

La première fois que Papi Ray me parle d'elle, je pense que Pome est sorcière. Une mère et une fille, seules, méfiantes, désagréables, cloîtrées dans leur appartement... Je n'ai pas à chercher très loin pour trouver la comparaison : il est en train de nous décrire, Ursule et moi.

Mais à l'instant où je la rencontre dans le hall, la Pome imaginaire s'efface. La Pome véritable prend toute sa place. J'oublie qu'elle a tout d'une sorcière. Je l'aime en fille normale. J'ai trouvé ma jumelle en esprit. Que demander de mieux ? Je ferais n'importe quoi pour rester son amie. À commencer par cacher soigneusement toute trace de sorcellerie familiale et personnelle. Je ne veux pas l'inquiéter, ni la dégoûter. Je m'arrange donc pour qu'elle ne croise ni Ursule ni Anastabotte. Comme j'habite chez mon père et mon grand-père la moitié de la semaine, il est assez facile d'éviter les rencontres. Et je m'organise pour garder Soufi à distance. Je l'aime beaucoup, mais côté sorcellerie, il en sait un peu trop. Il pourrait bavarder à tort à et à travers. À me planquer de tous, je deviens aussi enquiquinante que ma mère et ma grand-mère réunies. Elle peuvent être fières de moi ! Je garde ma sorcellerie planquée sous le tapis comme un vieux secret de famille. Je ne suis tranquille qu'avec Gérard et Papi Ray.

Ces deux-là au moins ne risquent pas de me balancer. La sorcellerie ? Quelle sorcellerie ? Je me demande comment ils font pour l'avoir sous les yeux depuis des années, et rester aveugles et sourds. Il ne faut pas être très malin pour se rendre compte qu'Ursule est une sorcière... Surtout quand on a été la victime directe de ses sortilèges. Mais non. Papi Ray me lance des regards furieux dès que j'évoque le sujet. Quant à Papa, je n'arrive pas à savoir ce qu'il pense. Comme il ne m'en parle jamais, je ne lui pose pas de questions. Mais il n'a qu'à se débrouiller tout seul. Il a tous les éléments en main pour se faire une opinion. Il a été le mari d'Ursule, après tout. Il l'a choisie, qu'il s'en dépatouille.

Pour finir, je suis dénoncée par les homoncules. Je les ai repérés dès le début de l'année, dans le grand marronnier. Ils sortent rarement pendant les récréations, à cause du bruit et de l'agitation. Mais avec un peu de patience, on peut les apercevoir le matin, quand ils se glissent des racines aux branches. Je n'ai jamais très bien compris ce qu'ils bricolent, à multiplier les va-et-vient le long du tronc. Peut-être récoltent-ils de la sève et des pucerons pour leur déjeuner. Ou peut-être font-ils simplement de l'exercice. Dès que j'ai cinq minutes entre deux cours, je passe jeter un coup d'œil. Je ne connais rien de plus beau que le spectacle des petits corps translucide qui volent dans la lumière.

Ce matin-là, comme la classe de Pome ne se décide pas à sortir en récréation, je m'agenouille devant l'arbre. Une dizaine de créatures courent sur l'écorce brune. Je ne me sens pas menacée par la présence des autres enfants qui jouent dans la cour. Personne ne peut voir ce que je vois. Il m'est bien égal de passer pour une fille un peu dérangée, plantée à regarder pendant des heures ce qui reste invisible à leurs yeux. Je suis si absorbée dans ma contemplation que je ne remarque pas que l'on s'agenouille à côté de moi. Jusqu'à ce que j'entende une voix familière :

— Regarde ! Des homoncules !

— Oui, dis-je, sans penser à m'étonner.

Quand on partage tout, rien n'est plus normal que de commenter ensemble une scène agréable. Il me faut quelques secondes pour comprendre ce que la situation a d'inhabituel. Si

Pome, ma merveilleuse amie normale, peut voir ce que je vois… c'est qu'elle n'est pas normale ! Je continue à observer l'arbre comme si de rien n'était. Puis je murmure d'une toute petite voix :

— Toi aussi ?

Je n'ai pas besoin d'en dire plus. Pour la sorcellerie comme pour le reste, nous nous comprenons en deux mots :

— Moi aussi.

— Sorcière ?

— Sorcière.

Si je n'avais pas peur de nous couvrir de ridicule devant toute la cour, je bondirais de joie et je la prendrais dans mes bras. Mais je tiens à notre réputation. Je me contente de lui faire un petit signe de la tête, comme si ce qui était en train de se passer était la chose la plus naturelle du monde. « Vous êtes sorcière ? Comme c'est amusant ! Figurez-vous que moi-même… »

— Je ne voulais pas que tu le saches, dit-elle. Je voulais avoir l'air normal. J'ai choisi le sac à dos pour ressembler aux autres… C'est bête, non ?

— Non. Moi aussi, je me méfiais.

Mais quand elle ajoute qu'elle a failli acheter le blouson en lamé doré, je ris si fort qu'il faut que je m'appuie contre l'arbre pour reprendre mon souffle.

— Fais gaffe! fait-elle en me tirant par le bras. Ils sont dangereux. Ils risquent de te mordre...

Elle a raison. Je m'éloigne du tronc.

— Pome, dis-je, tu es ce qui m'est arrivé de meilleur dans toute mon existence.

Quelques jours plus tard, je rencontre sa mère. Dommage que nous n'ayons pas été présentées plus tôt. J'aurais su tout de suite à qui j'avais affaire. Cette bonne femme est sorcière jusqu'au bout des ongles. Il ne lui manque que de se balader avec un T-shirt imprimé «Répugnante Sorcière» en lettres géantes dans le dos.

À côté d'elle, Ursule est un modèle de discrétion. Une créature douce et séduisante. Une mère tendre et affectionnée. Par comparaison, je lui trouve des qualités que je n'avais jamais remarquées. Je me promets de faire un effort pour être plus aimable avec elle à l'avenir. Pour apprécier ses parents, on devrait les comparer plus souvent.

Je raccompagne Pome chez elle. Comme elle a oublié ses clés, il faut bien qu'elle sonne. La porte s'ouvre si vite qu'on dirait que sa mère était tapie derrière, à nous guetter. Je n'ai pas le temps de m'enfuir. Elle se tient sur le seuil de sa porte, les mains sur les hanches, le sourcil froncé, le regard soupçonneux. Derrière elle, on devine un couloir sombre et encombré. Elle me regarde. Pas un muscle de son visage ne frémit. On croirait qu'elle vient d'apercevoir un cafard sur le carrelage de sa cuisine. Elle réfléchit sans doute au meilleur moyen de l'écraser sans qu'il crache ses œufs autour de lui.

Cette gracieuse personne se tourne vers sa fille avec une mimique de dégoût.

— Ça porte un nom?

Pome hausse les épaules.

— Je te l'ai déjà dit cent fois. Elle s'appelle Verte. C'est la voisine du bâtiment A.

— Verte? Quel prénom absurde…

— Pas plus que Pome, dis-je entre mes dents.

Au registre des prénoms impossibles, vous n'avez de leçon à donner à personne.

Elle m'énerve.

Moi aussi, si je veux, je peux être odieuse. Je m'apprête à filer sans demander mon reste lorsque son visage s'éclaire. Ma résistance l'impressionne. Elle est simple, pour finir! Pour l'intéresser, il suffit de lui déplaire.

— Je m'appelle Clorinda, déclare-t-elle, comme si elle me renvoyait une petite balle dégoûtante. Ce n'est pas mal, Clorinda. Qu'est-ce que tu en penses?

— Rien du tout.

Elle hoche la tête avec un sourire de spécialiste.

— Une sale petite teigne, hein? Tu as bien de la chance que je laisse ma fille te fréquenter.

Je vais répliquer qu'elle a bien de la chance que sa fille accepte de lui parler quand Pome se place entre nous.

— Maman, s'il te plaît! Ce n'est pas drôle! Laisse-la rentrer chez elle!

Clorinda lève les yeux au ciel et elle pousse sa fille dans le couloir.

— Comme tu voudras, siffle-t-elle. Pour moi, elle peut disparaître.

Elle me claque la porte au nez. Entre nous, c'est plutôt mal parti.

Je n'ai pas beaucoup d'espoir que les choses s'arrangent... jusqu'à ce que Clorinda apprenne à quelle lignée appartient la teigne. Il a suffi d'un coup de téléphone d'Anastabotte pour transformer sur l'instant Répugnante Sorcière en Charmante Ensorceleuse. Si vous voulez mon avis (comme dit Papi Ray, qui pense que personne n'en veut), là commence le vrai pouvoir. De Vilaine Teigne, je passe directement au rang de Petite-Fille Prestigieuse. Sans avoir à lever le petit doigt. C'est fou comme les gens sont sensibles au prestige. Admirable Anastabotte, une fois de plus, tu m'as sauvé la vie.

Je me moque que Clorinda m'estime ou me méprise. Mais je suis contente qu'elle autorise Pome à venir avec moi chez Anastabotte. C'est fou comme les choses paraissent différentes selon qu'on les fait seule ou en compagnie de quelqu'un qu'on aime. La présence de Pome rend supportables les leçons les plus ennuyeuses. Avec elle, même le calcul des trajectoires des planètes devient intéressant. Rien n'est plus pénible pourtant que de faire des calculs interminables dans une cave pour savoir quel jour et à quelle heure Saturne sera dans l'axe de la Lune pour ruiner la semaine de la moitié du Zodiaque. Les sorcières sont très versées dans les arts divinatoires. L'ennui est que beaucoup de méthodes demandent des calculs sans fin. Je préfère, et de loin, ce qui demande moins de rigueur et plus de baratin, les entrailles de poulet, le marc de café renversé, les lignes de la main. De toute façon, prévoir l'avenir ne sert à rien. On ne peut rien faire pour l'empêcher. À quoi bon se casser la tête si c'est pour apprendre que nous devons tous vieillir et mourir un jour?

Pome s'entend à merveille avec Anastabotte. Je suis fière d'être l'amie d'une fille qui sait se faire apprécier. Ursule la trouve supportable, et pourtant elle a le jugement féroce. Même Papi Ray, qui ne raffole pas des enfants, est conquis. «Une brave camarade, honnête, fidèle et loyale», remarque-t-il. Certainement le genre de recrue qu'il aurait pistonnée au bon vieux temps de la police. Le seul à lui trouver des défauts est Gérard. «Zéro disposition pour le foot», dit-il chaque fois que nous descendons au stade. «Mais elle adore le jeu en équipe.» Et il ajoute : «Hélas!» Tout le monde en raffole. Même Soufi. Oui, Soufi.

Les cachotteries ne durent qu'un temps. Je ne me souviens plus précisément du moment où ma meilleure amie apprend l'existence de mon meilleur ami. Je suppose qu'elle me prend en flagrant délit de dissimulation. À moins que l'un ou l'autre de mes parents se charge de manger le morceau. Le résultat est le même : il est temps d'organiser les présentations. Je me demande comment m'y prendre quand Papa règle la question. Il ne le fait pas par amitié pour moi. Il a lui-même quelques problèmes à résoudre.

Quand je me repasse le film des événements, je ne peux pas m'empêcher de rigoler. Pome qui loupe consciencieusement toutes les balles. Papa qui la regarde d'un œil atterré. Qui fait le jeune homme pour lui donner l'exemple. Qui glisse, qui tombe, qui n'arrive pas à se relever et qui tourne de l'œil. Pome dit qu'elle peut le réparer, puis qu'elle ne va pas le faire, puis qu'elle va le faire quand même, puis pour finir non, elle ne le fera pas. Elle a peur. Peur de quoi, on se le demande. Personne ne nous coupera la tête parce que nous avons retapé Gérard. Tout ce qu'on risque, c'est une centième leçon de morale sur le thème : « Pourquoi les sorcières doivent vivre dans le secret et dans la honte et se méfier de la terre entière ».

Je n'ai pas l'intention de passer ma vie à me méfier. Si nos glorieuses anciennes aiment vivre dans l'ombre, c'est leur affaire. J'insiste, j'argumente… et Pome se résout à faire ce qu'elle a à faire. Dix minutes plus tard, Gérard ouvre les yeux. Il jette un coup d'œil à sa cheville. Il est comme neuf. Encore une opération merveilleusement réussie… au détail près que cet hypocrite n'a jamais perdu conscience. Il nous a écoutées et ce qu'il a entendu lui a enfin décillé les yeux : certains talents dépassent les capacités humaines (même féminines). Attention, révélation ! Incroyable ! Il est environné de sorcières !

Apparemment, il est sous le choc. Il préfère garder ses impressions pour lui. Nous allons retrouver Raymond et nous déjeunons dans une joyeuse ambiance. Papi Ray est en pleine forme. Il rivalise de fines plaisanteries avec Pome. «— De quelle couleur sont les petits pois, ma chère Pome ? — Les petits pois sont rouges, Ray. — Cette gosse est daltonienne, ma parole ! Tu ne vois pas qu'ils sont verts ! Je te donne une deuxième chance : de quelle couleur sont les petits pois ? » Et ainsi de suite jusqu'aux œufs en neige. Les blancs flottent mollement sur la crème anglaise et le caramel dessine des arabesques. Ray exulte. Gérard ne dit pas un mot. Il ne nous regarde même pas. Il pense à autre chose.

— Je te dis qu'il a tout deviné, me dit Pome un peu plus tard dans l'après-midi.

Nous sommes assises sur mon lit. Elle est de plus en plus inquiète et je ne sais plus quoi inventer pour la rassurer.

— C'est possible. Où est le problème ?

— Il va le répéter partout. Anastabotte ne voudra plus me prendre comme élève. Ma mère va me ruiner l'existence. Ma vie est fichue.

Elle est sur le point de pleurer.

— Mais qu'est-ce que tu veux qu'on fasse ?

— Il faudrait que quelqu'un lui dise qu'il doit se taire…

— Toi ?

— Non, toi. Tu es sa fille. Et tu n'as peur de rien.

J'approuve en silence. Je fronce les sourcils d'un air convaincu pour lui laisser croire qu'elle a raison : je n'ai peur de rien, je suis l'impavide, l'invincible Verte. Et je suis prête à tenir le rôle. Tant pis pour moi si c'est un rôle de composition. En vérité, je n'ai que très moyennement envie d'affronter les explications avec mon père, pas plus que les hurlements d'Ursule ou les sermons d'Anastabotte. Quand j'y réfléchis cinq minutes, je rêve même de m'enfuir à toutes jambes. Mais nous ne pouvons pas craquer ensemble. Il faut bien que l'une de nous se dévoue.

— C'est d'accord. Je vais lui demander de la boucler.

— Promis ?

— Promis.

Le visage de Pome se détend. Elle se lève et va fouiller parmi mes disques. Elle semble tout à fait rassurée. Je me dis que nos amis nous accordent une confiance exagérée. Et que, malheureusement, nous sommes bien obligés d'essayer de la mériter.

Le problème, c'est la stratégie. Comment faire ? Me jeter sur lui en criant : « Alors, ça y est ? Tu as enfin pigé le truc ? » Ou m'asseoir sur ses genoux en murmurant : « Mon petit Papa, j'ai des choses importantes à te confier... » Je réfléchis intensément quand c'est lui qui me prend par l'épaule.

— Verte, dit-il, il faut que nous parlions tous ensemble...

— Tous ensemble avec qui ?

J'ai la vision terrifiante d'un tribunal où siègent Ursule et Clorinda, entourées d'une clique de vieilles sorcières furibondes. Je me vois déjà sur le banc des accusés où je me ratatine à toute vitesse.

— Avec Pome et Soufi.

Mes visions d'Ursule et de Clorinda se

dégonflent. Le tribunal s'évanouit. Je respire de nouveau.

— Je veux que nous nous expliquions tous les quatre. Dimanche prochain, au stade.

— Mais en attendant, tu ne dis rien à Maman… S'il te plaît…

Il me sourit et je sens sa main qui me serre l'épaule.

— Je le jure. Ça te va comme ça ?

Lundi et mardi, je dors chez ma mère. Je ne suis pas très à l'aise. J'ai beau faire confiance à mon père, je passe deux jours sous tension. Je sursaute dès que le téléphone sonne. Je surveille le visage maternel pour y déceler des traces de contrariété. Mais je ne repère pas d'alerte majeure. Quand arrive le mercredi matin, c'est elle qui paraît troublée.

— Tu as remarqué un changement chez ton père ? demande-t-elle en me versant un plein bol de ces céréales infectes dont elle raffole au petit déjeuner.

Je fais semblant de réfléchir, comme si je répondais sérieusement à une question sérieuse.

– Non. Il est comme d'habitude. Pourquoi tu achètes ces céréales ? On dirait des graines pour les animaux…

Ursule devrait me sauter à la tête et me démontrer pendant des heures que les graines pour les animaux sont meilleures pour la santé que toutes les gourmandises trop sucrées que des parents inconscients achètent à leurs enfants. C'est ce qu'elle ferait si elle était dans son état normal. Mais elle préfère soupirer :

– C'est stupéfiant. Tu ne prêtes aucune attention à ton père. Je me demande pourquoi tu t'es donné tout ce mal pour le retrouver. C'est un étranger pour toi.

Il s'en faut de peu qu'elle ne prenne les graines pour les animaux en pleine figure. Mais ce n'est certainement pas le moment de déclarer la guerre.

– Je le connais moins bien que toi, tu as raison… Je ne suis que sa fille, après tout.

À sa place, je relèverais l'ironie mordante… Mais Ursule est au-delà de l'ironie. Il y a longtemps qu'elle a élu domicile au royaume du sérieux absolu.

– C'est vrai, reconnaît-elle en opinant du chef. Tu n'y peux rien. Tu n'es que sa fille.

Elle a probablement eu Papa au téléphone pour une petite explication. Et visiblement cet étranger m'a passée sous silence. Je suis tranquille pour quelques jours encore. Je me garde bien de poser des questions. J'avale mes graines et je file à la salle de bains.

Papi Ray passe me chercher en début d'après-midi pour m'emmener chez Anastabotte. Pome m'attend dans la voiture. Comme nous ne pouvons pas nous parler devant Ray, nous communiquons par échange de grimaces. Jusqu'à ce que notre conducteur s'aperçoive de notre manège dans le rétroviseur.

– D'abord Gérard qui fait la grève de la parole... Et maintenant les donzelles qui attrapent la danse de Saint-Guy ! Vous êtes tous devenus cinglés, ma parole ! Vivement qu'on arrive chez Anastabotte ! J'ai un besoin urgent de voir quelqu'un de normal !

Pome tire sur sa ceinture de sécurité et elle réplique d'une voix douce :

— Vous l'aimez vraiment bien, Anastabotte, n'est-ce pas, Papi Ray ?

— Tu veux bien te taire ! Est-ce que je me mêle de tes petites histoires, insolente ?

Il donne quelques coups de volant pour nous effrayer. Nous nous mettons à glousser. Dommage que le trajet soit si court. Il nous a à peine secouées que nous sommes déjà arrivés.

Nous discutons pendant qu'Anastabotte et Ray boivent leur porto dans la cuisine. Même dans le jardin, nous nous parlons à voix basse, comme si tout autour de nous était sur écoute, les arbres et les fleurs, et même les oiseaux porteurs de micros.

— Il n'a rien dit à ma mère.

— Tu en es sûre ?

— Certaine. Mais il veut nous voir, toi, Soufi et moi. Dimanche. Au stade.

— Pour nous enguirlander ?

— Je ne sais pas. On verra bien. C'est toujours mieux que de parlementer avec Clorinda et Ursule, tu ne penses pas ?

Pome réfléchit.

Elle se tourne enfin vers moi et son visage s'éclaire.

— Je vais voir Soufi !

— Ça t'ennuie ?

— Pas du tout. Je me demande si on va s'entendre.

Je la regarde en secouant la tête.

— Tout le monde t'aime bien. Tout le monde l'aime bien. Ce serait un miracle que vous réussissiez à vous détester.

La leçon de la semaine porte sur les bagues. Il existe toutes sortes de bagues dotées de pouvoirs. La plus célèbre est la bague d'invisibilité. Mais il y en a bien d'autres. Les bagues de vision nocturne. Les bagues de voyage dans les entremondes. Les bagues de protection contre les mauvais sorts. Ce n'est même pas la peine de penser les fabriquer. À supposer que l'on parvienne à se procurer les métaux, il faudrait encore trouver la forge pour les fondre, et le forgeron pour les marteler. Le seul moyen d'en obtenir est de passer par les univers parallèles. Autant dire qu'il faut faire une croix dessus.

Dans ces dernières années, les rares sorcières qui ont tenté l'aventure n'en sont jamais revenues. Aussi, plus personne ne prend le risque. Il reste pourtant, datant de temps plus anciens, quelques centaines de bagues en circulation dans le monde. Il faut apprendre à les reconnaître. Pour nous donner un exemple, Anastabotte a sorti l'une des trois bagues que sa mère lui a léguées, qui est une bague d'invisibilité partielle. Nous nous amusons toute l'après-midi à disparaître par morceaux pour réapparaître en entier à l'autre bout de l'atelier. Anastabotte n'est pas la dernière à faire le clown, en baladant son œil unique à travers les étagères, au grand effroi des créatures à demi conscientes emprisonnées dans les bocaux.

Quand elle glisse la bague dans une enveloppe de velours, range l'enveloppe dans une boîte, puis enferme la boîte dans son coffre, nous sommes toutes les trois d'excellente humeur. J'en profite pour lui poser, l'air de rien, la question qui me taraude depuis trois jours.

— Mamie, est-ce que ce serait très grave que Papa sache que nous sommes sorcières ?

Anastabotte se redresse de toute sa hauteur, elle met les poings sur ses hanches et me regarde dans les yeux :

— Qu'est-ce que tu es en train de me dire ? Tu as tout balancé à ton père ?

— Ce n'est pas elle ! s'insurge Pome. Elle n'a rien fait. C'est lui qui devine tout sans qu'on lui dise rien !

— Comme ça, vous êtes complices, toutes les deux ? Qu'est-ce que vous avez fabriqué pour affranchir Gérard, qui n'était quand même pas si futé aux dernières nouvelles ?…

— Rien, souffle Pome.

— Tu mens. Je vais te faire pousser des cornes.

— S'il vous plaît, non ! Maman sera furieuse.

— Je veux bien croire que Clorinda ne sera pas ravie d'apprendre que sa fille est une traîtresse…

Pome est en train de fondre devant nous.

— Ce n'est pas elle, dis-je. C'est moi. Papa s'est fait une double entorse. Je croyais qu'il s'était évanoui et j'ai persuadé Pome de le réparer.

Coup de génie. Anastabotte se radoucit immédiatement.

— Tu y es arrivée ? demande-t-elle avec une pointe d'admiration dans la voix. Ce n'est pas si facile. Ça demande de la puissance...

— Je sais le faire, répond Pome, qui reprend de l'assurance. Même sur de gros animaux. J'ai la main qui soigne.

— Qui t'a appris ?

— Maman.

— Je ne lui connaissais pas cette qualité. Clorinda a plutôt la réputation d'être dure.

— C'est vrai qu'elle est méchante, remarque Pome. Mais elle n'aime pas voir souffrir. Ça l'énerve.

— Alors vous bavardez comme deux pies devant un type dont vous ne savez même pas s'il vous entend ? Vous le réparez sans chercher le moindre mensonge à fournir en guise d'explication ? Et vous vous étonnez d'être découvertes ? Je me demande ce qui me retient d'appeler vos mères à l'instant...

Décidément, il n'y a rien à faire pour la calmer. Elle est partie pour nous menacer tout le reste de l'après-midi.

— Par pitié, Mamie ! Arrête ! Ce n'est pas

notre faute si nous sommes sorcières. Moi, je n'ai rien demandé. Je m'en fiche de protéger des secrets qui ne sont pas les miens. Je sais que ça ne te fait pas plaisir, mais c'est comme ça. Gérard est au courant, et je ne me sens pas du tout coupable. C'est même pire, je suis bien contente !

J'ai parlé d'une voix résolue. Je suis prête à me faire démolir par ma mère et par toutes ses copines. Si elles ne sont pas contentes, elles n'ont qu'à me retirer mes dons. Bon débarras. J'abjure, j'abdique, je renonce. Et j'attends la réaction d'Anastabotte comme un condamné à la bastonnade attend le premier coup de bâton.

— Tu es complètement dingue, murmure Pome.

— Peut-être. Tant pis.

Anastabotte, elle, ne dit rien. Elle me regarde.

— Ça devait finir par arriver, dit-elle après un long silence. Mais je n'imaginais pas que ce serait toi. Tu veux casser le secret, c'est ça ?

— Oh, je n'ai pas l'intention de faire passer une annonce dans le journal. Je veux juste mettre mon père au courant.

— Je te signale que tu as déjà commencé avec Soufi…

— Tu n'as rien dit ! Tu m'as même aidée. Tu aurais pu me dénoncer.

— J'aurais pu, remarque Anastabotte d'une voix douce. Tu ne t'es jamais demandé pourquoi j'avais laissé faire ?

— Je sais. Tu penses que j'ai raison. Toi aussi, tu trouves les sorcières infernales avec leur manie de s'enfermer entre elles. Toi aussi, tu penses que nous devons partager ce que nous sommes. Tu étais bien contente d'initier Soufi. Et tu ne serais pas mécontente que Gérard soit averti. C'est vrai ou pas ?

Anastabotte éclate de rire. Les éclats de son rire résonnent partout dans l'atelier, rebondissant sur les murs, créant des échos.

— Si on te le demande, ma chérie, tu diras que tu n'en sais rien ! Quand je pense à cette pauvre Ursule ! Elle est loin de se douter qu'elle est la mère d'une anarchiste décidée à ruiner en une fois des millénaires de silence…

— Tu vas nous dénoncer à Ursule et à Clorinda ?

— Certainement pas. Je vais éviter de me mêler de toute cette histoire, voilà ce que je vais faire. Je vais continuer à vous donner des leçons comme si de rien n'était. J'ai passé l'âge des révolutions. Je tiens à ma tranquillité. Tout ce que je te demande, c'est de ne parler à personne de notre conversation…

— Encore un secret ?

— Tu peux le tenir, celui-là. Par amour de moi. Et Pome fera de même. N'est-ce pas, Pome ?

— Je ferai tout ce que vous me demanderez, répond Pome. Je vous adore, Anastabotte.

— J'espère bien, fait ma grand-mère en sortant son bâton de rouge de la poche de son tablier. Maintenant, on range l'atelier et on prépare le goûter. Ray ne va pas tarder à arriver.

Elle tartine généreusement ses lèvres de rouge et nous remontons à la cuisine.

— Dépêche-toi ! crie Clorinda.

J'entends Pome protester à l'autre bout de l'appartement. Apparemment, elle cherche ses baskets.

Postée sur son seuil, Clorinda me couve d'un

regard bienveillant. Elle a cet inquiétant sourire en coin qui me fait regretter les franches insultes de notre première rencontre. Une odeur aigre-douce flotte dans le couloir. Je repère des effluves de datura et de digitale. Elle fait encore bouillir des cochonneries.

Pome déboule enfin, elle bouscule sa mère et se précipite vers moi.

— Bonne matinée, lance Clorinda, au comble de la politesse.

Sa voix retentit dans le vide. Nous dévalons déjà les escaliers.

Ce matin, Papa s'est levé avant moi pour aller chercher Soufi. Je l'ai entendu siffloter sous sa douche. Le parfum du café a envahi l'appartement. Il a frappé à la porte de ma chambre avant de partir.

— Ne traîne pas trop, a-t-il dit. On se retrouve sur la pelouse.

Maintenant, je crains d'être en retard et nous courons toutes les deux à travers le jardin. J'avais raison, ils sont déjà là. Soufi est assis sur le banc de touche et Gérard fait les cent pas devant lui. Il a croisé les mains dans le dos. Exactement l'attitude qu'il adopte quand il fait le point avec une équipe avant un match.

— C'est lui ? demande Pome.

— Oui.

Je regarde Soufi par ses yeux et c'est comme si je le voyais pour la première fois. Je le trouve beau. Pas très grand, des cheveux très noirs, des yeux très sombres. Beau, quoi. Maintenant, je regarde Pome avec les yeux neufs de Soufi. Je la trouve belle aussi. Elle a un visage distingué et de belles expressions. Je me dis que tout le monde aimerait être l'amie de ces deux personnes. J'espère que mon père est fier de moi. Ce n'est pas rien d'être le père d'une fille qui a des amis remarquables.

Mais pour l'instant, ce sont mes amis qui ont l'air de le trouver remarquable. Ils sont même complètement pétrifiés. Soufi cligne nerveusement des yeux, et Pome est toute pâle.

— Asseyez-vous, les filles, ordonne Gérard. J'attendais quelques explications de Soufi…

— Je n'ai rien dit, corrige Soufi et il me lance un regard implorant. J'attendais que tu arrives.

— Eh bien, elle est arrivée, fait Gérard.

Pome lance un regard de biais à Soufi. Il lui répond par un sourire misérable. Je suis sûre qu'ils s'apprécient déjà beaucoup. Si seulement ils pouvaient arrêter d'être si mal à l'aise ! Peut-être parce que je suis sa fille, je n'arrive pas à avoir peur de Gérard. Il a beau prendre sa grosse voix, il ne m'impressionne pas. Il doit s'en douter, parce qu'il s'attaque à Pome, qui est la plus fragile de nous trois. Normal, c'est elle qui le connaît le moins.

— Toi, Pome ! Tu peux m'expliquer ce qui s'est passé dimanche dernier, ici même ? Je t'ai entendue prononcer des paroles étranges. Qu'est-ce qui est interdit par ta mère ? De quoi exactement n'as-tu pas le droit de te servir ?

Pome rougit, pâlit, bredouille.

— Des trucs…

— Quels trucs, bon sang ? s'emporte Gérard.

— Ce n'est pas la peine de lui faire peur, intervient Soufi. Allez, Pome, dis-lui. Il a déjà presque tout deviné…

— Les trucs des sorcières. On n'a pas le droit de s'en servir.

Gérard lève les yeux au ciel.

— On n'a pas le droit, mais tout le monde s'en sert…

— Pas tout le monde. C'est réservé aux sorcières, et aux filles des sorcières…

— Et à Soufi, ou je me trompe ?

Pome me lance un regard consterné.

— Alors là, je ne suis pas au courant ! Il faut demander à Verte.

— Verte, fait Papa d'un ton solennel. Ma petite fille…

— Pardon, Papa, mais pour les explications complètes, tu devrais plutôt demander à Ursule.

— Tu te fiches de moi ? Ça fait quinze ans que ça dure et tu veux que je continue à passer pour un imbécile ?

— Ce n'est pas ma faute, Papa !

Mon père prend sa tête entre les mains. Il a l'air fatigué et malheureux. Imbécile, je veux bien. Mais malheureux, ça me rend triste. Tant pis pour moi, je plonge :

— Bon, d'accord. Je suis sorcière parce que Anastabotte et Ursule l'étaient avant moi. C'est un héritage et personne n'y peut rien. Et si tu crois que c'est drôle, tu te trompes. Normalement, nous devons garder le secret absolu, parce que les gens nous persécutent dès qu'ils en ont l'occasion…

— Tu crois sérieusement que je pourrais te persécuter ? Moi ?

— Non.

— Alors ?

— Alors je regrette. Mais je n'avais pas très envie de désobéir à Anastabotte et surtout à Ursule. Tu les connais quand elles sont en colère…

— Oui. Elles sont assez fortes en matière de persécution. Et Pome, dans tout ça ?

— Pareil, répond Pome. Ma mère est sorcière. J'ai attrapé le don. Je ne l'ai pas fait exprès.

— Et ton père ? Il en dit quoi, ton père ?

— Je n'en ai pas. Pas d'exemplaire connu, en tout cas. Il a filé avant ma naissance. Je m'en suis passée.

Gérard secoue la tête d'un air désolé. Pome se sent obligée de le consoler.

— Ne faites pas cette tête-là. Je suis habituée. Et puis, je vous ai, vous et Ray. Vous me faites une sorte de famille.

Bien joué, Pome ! Je le vois qui fronce le nez. Il est ému. Il cherche des mots qu'il ne trouve pas. Désemparé, il se rabat sur Soufi, qui se recroqueville sur son banc.

— Et toi ? Qu'est-ce que tu fiches dans cette histoire ?

— J'ai promis le secret, dit Soufi. Je l'ai juré à Anastabotte. Une parole est une parole. Je ne peux rien dire si elle ne me donne pas son accord.

Cette fois, Gérard se met à rire.

— Parfait. Voilà un gosse qui n'a pas encore toutes ses molaires et qui préfère se faire écharper plutôt que de trahir. Tu es très chevaleresque… C'est trop de loyauté, ma parole !

Soufi est vexé mais il ne cède pas. Il pince les lèvres et regarde obstinément le bout de ses chaussures. Puisque j'ai commencé à raconter, je peux bien continuer. Je prends toute la traîtrise sur moi.

— Anastabotte a fait une exception pour lui. Mais c'était pour te retrouver. Nous avons fait un miroir liquide…

— Un quoi ?

— Un miroir liquide. Pour voir à distance. J'ai demandé la figure de mon père. Tu es apparu et Soufi t'a reconnu. C'était très réussi mais il n'a jamais recommencé. Hein, Soufi ? Dis à mon père que tu n'es plus descendu à l'atelier...

— C'est vrai, monsieur. Je n'ai plus été invité. Je ne suis qu'un garçon.

Gérard nous regarde attentivement.

— Tu peux m'appeler Gérard, espèce d'andouille. Pourquoi pas les garçons ?

— Parce que ça a toujours été comme ça, répond Pome.

— C'est ta seule réponse ?

— Je n'en ai pas d'autre.

— Eh bien, ma petite fille, laisse-moi te dire qu'elle est un peu insuffisante, si un homme peut se permettre d'avoir un avis. Si je pensais comme vous, j'interdirais aux filles d'entrer sur mon terrain de foot ! Je ne vois pas l'intérêt de passer sa vie à ranger les filles dans un casier et les garçons dans un autre...

J'adore mon père quand il fait des discours. Il croit à fond dans ce qu'il dit.

— Papa, tu es un féministe !

Il sourit largement. Il est tellement beau que, s'il faisait de la politique, il serait forcément élu. En tout cas, je voterais pour lui.

— Peut-être mais ne le répète pas à Raymond. Il est très chatouilleux sur ce genre de sujet. D'ailleurs, ne lui dites rien du tout. Raymond n'a pas besoin qu'on lui raconte des histoires de sorcières. Il ne saurait pas quoi en faire. Il s'inquiéterait pour rien. Il a suffisamment de préoccupations dans l'existence.

— C'est vrai, remarque Pome. Il ne sait pas encore qu'il est amoureux fou d'Anastabotte. C'est une grosse préoccupation pour un homme de son âge.

Cette discussion nous a tellement énervés que nous jouons pendant presque deux heures pour nous détendre. Je suis aussi habile que Soufi mais il est plus rapide que moi. Il faudra que je m'améliore à la course pour me mettre à niveau. Quant à Pome, nous l'avons placée dans les buts. Elle encaisse toutes les balles. Mais au moins, tant qu'elle est dans les filets, elle ne nous empêche pas de jouer. Je remarque que Soufi fait attention à ne pas tirer de balle trop forte. Il est vraiment très gentil. Je me demande si elle lui plaît. S'il la trouve jolie et charmante, comme il me trouve jolie et charmante. Je n'ai pas envie qu'il soit amoureux d'elle, mais je n'en ai pas peur non plus. Je pense même que je ne serais pas fâchée qu'ils s'aiment beaucoup. Je tiens si fort à eux que je suis incapable d'être envieuse. Il n'y a pas de place en soi pour la jalousie quand on aime.

Le temps passe à toute vitesse. Papi Ray siffle comme un dingue de sa terrasse. Quand il nous ouvre la porte, nous sommes échevelés et en sueur. Il nous regarde comme si nous étions des déchets toxiques et, évidemment, il ronchonne.

— Vous vous moquez de moi? J'ai épluché des kilos de pommes de terre pour des gougnafiers qui ne sont pas fichus d'être à l'heure? Vous attendez que l'huile brûle?

Pome lui claque une bise sur le nez, ce qui a le mérite de le faire taire.

— Des frites! dit Soufi. Ce que je préfère au monde!

— Eh bien, tant mieux! grogne Papi Ray.

Il nous installe à table et fonce en cuisine surveiller sa friteuse. Profitant de son absence, Papa déplie sa serviette. Il nous observe. Il toussote. Il se lance :

— Les enfants, il me reste une chose à vous dire : merci. Entre l'histoire de glace fondue...

— De miroir liquide? interrompt Soufi.

— Si tu préfères... Entre cette histoire, donc, et la réparation de ma cheville, ce que vous avez fait, vous l'avez fait pour moi. Je ne suis pas complètement idiot, je sais que vous avez pris des risques. Et maintenant le chapitre est clos.

C'est très réussi. À force d'être gentil, il a gâché l'ambiance. Personne ne tenait tellement à être officiellement remercié et maintenant tout le monde est atrocement gêné. Nous fixons notre assiette en silence quand Papi Ray jaillit de sa cuisine. Il porte un saladier débordant de frites dorées qu'il dépose triomphalement sur la table. Il sale d'un large geste puis il indique (comme si personne ne l'avait remarqué) le grand bol de mousseline qui trône au milieu de la table.

— Mayonnaise?

— Ray, tu es le meilleur, déclare mon père. Hein, les enfants?

Une fois de plus, Ray vient de sauver la situation. Nous crions oui, oui, oui dans le désordre et nous nous jetons sur les frites. Ray adresse à Gérard un sourire victorieux. Je n'ai jamais encore rien vécu qui approche d'aussi près le bonheur. N'est-ce pas un événement plus important que tout le règne de Louis XIV et toutes les batailles de Napoléon réunis?

Ce qu'en disait Soufi
(La voix d'un ami)

J'aurais dû m'en douter. Il a fini par appeler chez moi. Ma mère a décroché et elle m'a passé le téléphone en agitant l'index sous mon nez.

— Qu'est-ce que tu as encore fabriqué ? Il n'a pas l'air content...

L'avantage, avec Gérard, c'est qu'on sait toujours à quoi s'en tenir. Il ne fait pas d'effort pour dissimuler. Quand il est furieux, ça s'entend.

— Je passe te chercher dimanche à neuf heures, a-t-il dit d'un ton sec. Je te conseille vivement d'être prêt. Préviens tes parents que tu déjeunes avec nous. J'ai des choses à vous dire, à Verte, à toi et à Pome.

— À qui ?

— À toi.

— Non, l'autre…

— Pome?

— Qu'est-ce que c'est, Pome?

— Tu verras sur place. À dimanche.

Je savais qu'on finirait par se faire pincer. Verte croit que son père est un brave type un peu épais qui ne comprend rien à rien. On voit qu'elle ne l'a pas eu pour entraîneur. Elle saurait qu'il finit toujours par vous tomber dessus. Pas forcément tout de suite après le match. Mais plus tard, à froid, quand vous ne l'attendez plus. Elle a beau être sa fille, je connais son père depuis plus longtemps qu'elle. Il est gentil mais il n'aime pas qu'on abuse. Et surtout, il veut que les choses soient claires. Pas de chance. Comme père, il est plutôt mal servi.

J'aurais dû le prévenir, quand il l'a retrouvée. Lui dire de se méfier. Lui glisser dans l'oreille : « Elle est gentille mais elle est compliquée. » Ou : « Elle est gentille mais on ne sait jamais quel tour elle va vous jouer. » Ou même : « Elle est gentille mais elle est sorcière, bienvenue au royaume de l'embrouille. » Je n'ai rien dit. Après tout, il était assez grand pour s'en rendre compte tout seul. C'est d'ailleurs ce qu'il a fini par faire. Et maintenant, il n'était pas content.

Pour moi, le résultat était sans appel : j'allais me faire pourrir, pour la seule raison que sa fille était sorcière. Comme si j'y pouvais quelque chose, moi. Comme si c'était ma faute...

C'était tellement injuste que j'avais les larmes aux yeux en sortant de chez moi. Pour ne pas aggraver sa mauvaise humeur, je l'ai attendu devant l'immeuble, mon blouson sur le dos et mes crampons dans le sac. Qu'est-ce que j'allais pouvoir lui répondre, quand il me poserait des questions précises ? La grand-mère de Verte m'avait prévenu : si par malheur je les dénonçais, elle se chargerait de me faire mon affaire. Je passerais le reste de ma vie dans la peau pustuleuse d'un crapaud. Et elle s'arrangerait personnellement pour qu'aucune princesse ne croise jamais mon chemin... Plutôt mourir que de dire la vérité. Et tant pis si je devais renoncer au foot pour toujours. Il me resterait toujours le mini-golf...

Je n'ai rien dit dans la voiture. Je n'ai rien dit en entrant au stade. Je me suis assis sur le banc de touche et je n'ai pas ouvert la bouche. Évidemment, Verte était en retard. C'est tout à fait son genre de vous laisser mariner pendant qu'elle se la coule douce. Elle n'avait rien à craindre, elle. Avec son propre père, on peut toujours s'arranger. Mais moi ? Gérard marchait de long en large, les mains dans le dos. On aurait dit un gardien de prison dans une série américaine. Je faisais tous les prisonniers à moi tout seul. Comme je n'avais répondu à aucune de ses questions, il ne me parlait plus. Il faisait la tête. Nous attendions devant la pelouse déserte. Par chance, pour une fois il ne pleuvait pas.

Après mille ans de silence, Verte a fini par arriver. Une fille la suivait, il devait s'agir de Pome. Pome, quel prénom bizarre... Pourquoi pas Carotte ? Verte ne s'est pas excusée pour son retard. Elle s'est assise à côté de moi, Carotte s'est assise à côté d'elle, et Gérard a commencé à nous faire des reproches. Il en avait marre qu'on le prenne pour un imbécile, personne ne lui disait jamais rien, il voulait la vérité, il y avait droit et patati et patata. J'en ai déduit que Pome était dans le coup. Une deuxième sorcière, il ne manquait plus que cela. Comme si je n'avais pas assez de soucis avec une seule !

Comme nous restions dans l'ensemble assez peu causants, Gérard nous a pris à partie l'un après l'autre. La vieille stratégie de la division. D'abord, j'ai eu mon tour. Qu'est-ce que j'avais bricolé avec Verte pour le retrouver… Ensuite, c'était le tour de Pome. Apparemment, il y avait eu des histoires avec les deux filles. La pauvre était terrifiée, mais elle a gardé un silence honorable. Évidemment, plus nous nous taisions, plus il était en colère. Sans vouloir fayoter, je le comprenais. Ce n'est déjà pas drôle de se faire balader, mais se laisser rouler par des enfants, c'est pire. Enfin… j'avais beau sympathiser à fond, je n'avais toujours pas très envie de finir en crapaud.

L'ambiance devenait franchement tendue, quand Verte a pris ses responsabilités. C'était normal, elle était à l'origine de toutes ces histoires. Mais ce sont souvent les actions les plus normales qui demandent le plus de courage. Après tout, si elle parlait, elle risquait de se faire découper en morceaux par sa mère et sa grand-mère. Peut-être n'y a-t-elle même pas réfléchi. Peut-être a-t-elle juste pensé qu'elle devait la vérité à son père, et rien de plus. Quelquefois, je me dis que la grande qualité de Verte, c'est son manque d'imagination. Elle fonce d'abord, elle pense après.

Il ne lui a pas fallu cinq minutes pour tout avouer. Le principal tenait en un mot : sorcière. Je m'attendais à ce que Gérard écarquille les yeux et pousse des cris. Mais non. Il l'écoutait paisiblement. Comme s'il avait tout deviné, et qu'il ne demandait rien d'autre qu'une confirmation. Je me suis dit qu'il ressemblait à un flic qui connaît déjà le dossier et qui attend des aveux. Après, j'ai remarqué que je pensais sans arrêt à la prison. J'en ai conclu que je me sentais coupable. Mais je n'étais pas le seul. Quand Verte a fini de parler, j'ai jeté un coup d'œil à Carotte. Elle semblait soulagée. C'était dit Enfin. La vraie vie allait pouvoir commencer.

Pour fêter notre entrée dans la vraie vie, nous avons commencé par jouer deux heures. Verte a placé sa copine dans les buts. Elle a eu raison. J'ai rarement vu quelqu'un manquer le ballon à ce point. Elle s'enfuit dès qu'il arrive sur elle. On dirait qu'il va la mordre. Terrible. Elle s'est plantée au beau milieu du filet et elle a laissé passer toutes les balles. Sans exception. Avec Verte, nous faisions attention à ne pas tirer trop fort. Elle était tellement nulle qu'elle aurait été capable de prendre le ballon en pleine figure. Échanger avec Verte était un plaisir, comme d'habitude. Elle manque un tout petit peu de rapidité, mais elle sent le ballon. Elle sait exactement où il va venir et comment elle doit le prendre. Gérard m'a dit qu'elle ne voulait pas s'entraîner régulièrement. Dommage. C'est peut-être qu'elle ne veut pas avoir son père pour entraîneur… Elle n'en sortirait plus, du terrain.

Ensuite, nous avons mangé chez Raymond et c'était la deuxième partie de la vraie vie. Du poulet, des frites et une mayonnaise au citron. Il n'y a que lui pour réussir un déjeuner comme ça. Il n'arrêtait pas de retourner dans la cuisine pour remplir son saladier et il faisait semblant de gronder son fils : « Qu'est-ce que tu leur fais, pour qu'ils s'empiffrent à ce point ? Tu les épuises, et qui est-ce qui les retape, après, hein ? Le vieux schnock, comme d'habitude… » Gérard secouait la tête et tout allait très bien comme ça. À la fin du repas, Pome s'est levée pour l'aider à débarrasser. Raymond a fait comme s'il voulait la chasser de la cuisine, mais il était enchanté. « Personne ne lui a jamais dit, à cette gamine, qu'on ne sort pas de table sans demander la permission ? À se demander qui les a élevés, ces gosses… »

Pome ne s'est pas démontée. Elle l'a regardé droit dans les yeux et elle a répondu :

— C'est Clorinda. Une autre question, Papi Ray ?

Je ne sais pas qui est Clorinda. Mais Raymond a pris un air tellement épouvanté que les autres ont éclaté de rire.

— Ne dites pas de mal de Clorinda, a fait Gérard. D'abord, c'est la mère de Pome. Ensuite, elle est charmante avec moi.

— Tu as de la chance, a soupiré Papi Ray.

— C'est un peu votre faute aussi, a lancé Pome

en entassant les assiettes. Vous l'avez provoquée. Fallait pas l'aider à déménager...

Raymond s'est arrêté, interloqué. Il a regardé Pome avec des yeux indignés. Verte s'est effondrée en gloussant sur sa chaise avant de s'étouffer dans sa serviette de table. Pome est repartie vers la cuisine, les bras chargés d'assiettes. Elle avait un petit sourire. Je ne comprenais pas pourquoi la conversation était si amusante, mais j'ai trouvé que cette fille avait de la classe. Tant qu'elle n'était pas effrayée par Gérard, évidemment. Il n'y avait pas à s'étonner qu'elle s'entende si bien avec Verte. Elles étaient pareilles, toutes les deux. Elles étaient de la même nature.

Ce dimanche de vraie vie aurait pu s'arrêter là. Il aurait déjà été très réussi. Mais la journée n'en était encore qu'à son milieu. Il restait à vivre sa troisième partie. Après le repas, nous nous sommes enfermés dans le bureau de Raymond, qui sert de chambre à Verte quand elle dort chez lui. Il tend un drap sur le canapé et elle s'endort, au milieu de ses photos encadrées et de ses encyclopédies. Verte avait une idée derrière la tête. Je la connais par cœur. Je sais ce qui va se passer quand elle a l'air calme et décidé et qu'elle se met à parler sérieusement. Elle est en train de préparer une énorme bêtise.

— Soufi, tu te souviens de ce qu'a dit Anastabotte, quand nous avons terminé le miroir liquide ?

— Elle a dit qu'elle me changerait en crapaud si j'ouvrais la bouche.

— Pas seulement…

— Elle a dit que je ne trouverais jamais de princesse assez gourde pour m'embrasser, qu'elle se chargerait personnellement de mon cas, et que je finirais écrasé par un trente-cinq tonnes sur la nationale…

— Mais non ! Elle a dit quelque chose, avant…

J'ai cherché dans mes souvenirs. Et j'ai fini par retrouver. C'était à la fin de la séance. On m'avait enténébré, enfumé, ensorcelé. On avait chanté pour moi des formules cabalistiques dont le son résonnait encore contre les murs humides. Je sortais à peine de la transe et j'étais encore sous le choc. J'avais reconnu mon entraîneur dans l'image qui se dessinait dans le miroir. Il se trouvait que l'entraîneur était aussi le père de Verte, celui qu'elle cherchait depuis des années... Je sentais bien que tout cela avait un rapport certain avec la réalité. Mais je pataugeais dans le cauchemar et je n'arrivais pas à reprendre pied... Il faut dire qu'autour de moi rien ne m'y encourageait. Partout où se posaient mes yeux, je ne voyais qu'alambics (fumants), salamandres (séchées) et autres mandragores (pendues). Et Anastabotte qui me fixait avec une sorte d'appétit féroce...

— Je me souviens ! Elle a dit : Dommage que ce soit un garçon. Il a de bonnes dispositions. S'il avait été une fille, j'aurais pu en faire quelque chose.

— Et qu'est-ce que j'ai répondu ? a demandé Verte.

— Tu as répondu : Tu ne veux pas essayer ? Ce serait rigolo. Mais elle a dit : Non, pas question. Alors, tu as insisté : Pourquoi ? Mais elle a tenu bon : Parce que.

Verte regardait Pome en hochant la tête.

· C'est exactement ce qui s'est passé : Anastabotte a dit qu'il pourrait.

— Et alors ? a fait Pome.

— Alors, on va le faire.

— Tu es dingue.

— Je sais, tu me l'as déjà dit, a fait Verte en se frottant les mains. Soufi, ça te dirait de devenir sorcier ?

Elles n'ont même pas attendu ma réponse. Elles se parlaient toutes les deux comme si je n'étais pas là.

— Je ne vais pas lui demander de nous aider, disait Verte. Il suffit qu'elle nous prête son atelier et qu'elle laisse son livre ouvert à la bonne page. Je suis sûre qu'elle ne dira pas non.

— Imagine qu'on se trompe dans les manipulations...

— On ne peut pas se tromper. C'est une imposition des mains avec incantations.

— Comment tu le sais ?

— Je l'ai lu, figure-toi. Ce n'est pas la première fois que j'y pense...

— Pourquoi tu veux m'embarquer là-dedans ? Tu ne peux pas le faire toute seule ?

— Non. Toi, tu sais poser les mains.

— Et qu'est-ce que tu diras à ta mère ?

— Rien. Je sais déjà ce qu'elle me répondra. Non, non et non.

C'est à ce moment que je suis sorti de ma stupeur. J'en avais assez qu'elles décident de ma vie.

— Non, ai-je prononcé à voix haute. Non, non et non.

Verte m'a regardé comme si elle s'étonnait que je sois encore là. Pome a souri.

— Tu vois ? Même lui, il a la trouille.

— Je préfère encore être transformé en crapaud… Au moins, en crapaud, je sais ce qui m'attend. Le trente-cinq tonnes. Mais sorcier, je ne vois même pas ce que ça veut dire…

Verte a haussé les épaules.

— Ce n'est pourtant pas difficile. Tu n'as qu'à nous regarder, Pome et moi. Tu seras comme nous. C'est quand même mieux que de finir en crapaud !

— Et si je préfère être footballeur ?

— Alors là, a dit Pome, ce n'est pas un argument. Tu peux être sorcier et footballeur. Tu viendras aux leçons d'Anastabotte le mercredi…

— Impossible. Le mercredi, j'ai l'entraînement.

Verte a pris son air découragé.

— On lui propose d'être sorcier, et tout ce
qu'il trouve à dire, c'est qu'il s'entraîne le mercredi…

Elle était vexante, à la fin.

— Je vous aime beaucoup, ai-je dit. Mais sin-
cèrement, ça ne m'intéresse pas. Sans compter
que je m'entends bien avec mes parents, et que
je n'ai pas envie que ça change.

— Tu dis ça pour Clorinda ? a demandé Pome.

— Tu dis ça pour Ursule ? a répété Verte en
écho.

Comme elles semblaient fâchées, j'ai pris la
chose à la rigolade.

— Pas du tout. Je remarque juste que les
familles des sorcières sont assez compliquées…

— Pas plus compliquées qu'une famille
banale divorcée, a fait Verte. Mais si tu ne veux
pas, tant pis pour toi.

— C'est très gentil de votre part, mais je n'ai
pas d'ambition personnelle. Je préfère rester
comme je suis.

— Comme tu veux, a fait Verte.

— Tu ne sais pas ce que tu perds, a ajouté Pome.

Elle me regardait sans me voir. Elle avait les yeux dans le vague. Elle souriait, l'air rêveur.

Je me demande quelquefois ce qui se serait passé si j'avais accepté de devenir sorcier à plein-temps. Je suppose que je serais en train de moisir dans une cave, surveillé de près par Ursule, Anastabotte et Clorinda. Finis les entraînements. Finis les après-midi à l'air libre. Enterrée l'honnête carrière de footballeur. Et tout ça pour rien. Parce que la sorcellerie, j'y suis arrivé quand même. Et sans avoir à supplier.

J'y suis arrivé presque par hasard. Un dimanche. J'étais invité chez Verte et j'étais en retard. Maman m'avait conduit chez Ray en voiture. Elle m'avait déposé devant l'immeuble et je traversais le jardin au pas de course, quand Pome m'a aperçu.

— Inutile de courir! a-t-elle crié. Elle n'est pas encore là! Ray est parti la chercher chez sa mère.

J'étais essoufflé. Je me suis assis au pied d'un grand arbre et je me suis adossé au tronc. Pome s'est accroupie à côté de moi.

— On va les attendre, a-t-elle dit. D'ici, on les verra arriver.

Nous avons patienté tous les deux en silence. En l'absence de Verte, nous ne savions pas très bien quoi nous dire. Le soleil jouait entre les nuages et j'étais plutôt à mon aise quand j'ai senti quelque chose bouger dans mon dos. C'était comme si l'on me chatouillait. Je me suis reculé, je me suis retourné et j'ai regardé. Il n'y avait rien. Rien que le tronc de l'arbre, brun et nervuré.

— Qu'est-ce qui se passe ? a demandé Pome.

— J'ai des fourmis dans le dos, ai-je répondu en me frottant les épaules.

— Des fourmis ? Recule-toi…

Pome s'est approchée de l'arbre et elle a collé son nez sur le tronc.

— Puisque je te dis qu'il n'y a rien…

— Tais-toi !

Elle restait scotchée à l'écorce.

— J'en vois un, a-t-elle murmuré.

— Un quoi ?

— Un truc, un machin… Regarde !

Je me suis mis à côté d'elle et j'ai regardé. Toujours rien.

— Si tu sens sa présence, tu dois arriver à le voir ! Fais un effort !

— Voir quoi ?

— Mais le truc !

J'avais beau fixer le tronc à m'en hypnotiser, c'était peine perdue. Rien de rien. À part peut-être un petit scarabée qui galopait de droite à gauche.

— Ce n'est pas possible ! a dit Pome. Attends, je vais t'aider !

Elle n'a demandé la permission à personne. Elle n'a lu aucune recette dans aucun grimoire. Elle n'a pas fait de manières. Elle a juste posé les mains sur ma tête (une sur le front, une à l'arrière du crâne), et elle a serré… Un grand courant de chaleur m'a traversé, de l'oreille droite à l'oreille gauche. Mes yeux se sont ouverts. Et je l'ai vu.

— Un papillon !

— Ce qu'il est bête… a soupiré Pome. Ce n'est pas un papillon, patate. C'est un homoncule. Qu'est-ce qu'il fait là ? Je n'en ai jamais vu dans le jardin. J'espère que ma mère n'y est pour rien. Depuis le temps qu'elle rêve d'en attraper un...

Je ne comprenais pas un mot à ce qu'elle était en train de dire. Et ça m'était bien égal. La petite bête ailée courait sur le tronc de l'arbre. On aurait dit qu'elle était faite de poussière d'arc-en-ciel. Elle était tellement jolie que j'ai tendu la main.

— Arrête ! a crié Pome. S'il te mord, il t'empoisonnera.

Je me suis reculé. J'avais du mal à voir maintenant. On aurait dit que ma vue déclinait, comme si je devenais progressivement aveugle.

— Il est trop marrant, a dit Pome. On dirait qu'il danse.

— Je ne vois plus rien...

— C'est normal. Le pouvoir des mains ne dure pas longtemps.

Je me suis éloigné de l'arbre. J'étais encore abasourdi quand Pome m'a rejoint.

— Tu sais le faire ! a-t-elle dit, et elle semblait très excitée. Si tu voulais t'entraîner un peu, tu

pourrais garder le pouvoir. Et même le dévelop-
per…

— Je sais, tu me l'as déjà proposé. Et j'ai déjà
répondu non.

— C'est trop bête !

— Pourquoi ? Quand tu seras avec moi, tu
m'aideras. J'aurai le pouvoir un moment et
ensuite je le rendrai.

— Et ça te suffit ?

— Oui, je préfère que ça reste un jeu.

— Comme tu veux, a dit Pome à regret.

La discussion n'est pas allée plus loin. Verte
était arrivée et elle nous faisait de grands signes
par la fenêtre. Il était temps de la rejoindre.

C'est ainsi que, grâce à Pome, je suis devenu
sorcier à temps partiel. Quand je suis avec les
filles, j'ai quelques pouvoirs. Sitôt que je les
quitte, j'y renonce. Verte a eu un peu de mal à
me croire quand je lui ai affirmé que j'étais
heureux comme ça. Mais Pome me comprenait
très bien.

— C'est comme toi avec le foot. Ce qu'il
aime, c'est jouer.

— Alors viens ici qu'on te pose les mains ! disait Verte. Qu'est-ce que tu veux faire aujourd'hui ?

Nous avons réussi un tas de tours amusants. J'ai vu des elfes, j'ai vu des fées et j'ai même aperçu un troll. J'ai fabriqué une petite potion qui brûlait toute seule comme un feu de Bengale. J'ai fait fleurir un bégonia rabougri. J'ai aidé Pome à réparer un petit chien qu'une moto venait d'écraser.

Les rares fois où j'allais chez Anastabotte, nous faisions attention à ne rien laisser deviner. Mais elle a vite remarqué que quelque chose avait changé. Elle nous observait tous les trois en souriant. Et quand je passais devant elle, elle glissait la main dans mes cheveux.

— Il y en a, des choses, dans cette petite tête, disait-elle. Des choses terriblement intéressantes. Et je préfère ne pas savoir exactement lesquelles.

Chaque fois qu'elle me touchait, je sentais la chaleur me traverser et je rougissais horriblement. Alors elle se mettait à rire franchement et elle interpellait Ray :

— Le monde change plus vite qu'on ne

l'imaginait, n'est-ce pas, mon vieux? Qui aurait cru que l'avenir nous affranchirait des ordres anciens?

Ray prenait son air le plus sérieux pour l'approuver. Il n'y comprenait rien. Mais Ray aurait approuvé n'importe quoi, du moment qu'Anastabotte le lui demandait.

Sans me vanter, c'est moi qui ai trouvé l'idée. Nous étions dans le jardin. Verte avait proposé d'aller chercher un ballon, mais Pome n'en avait pas envie. Elle aurait préféré regarder la télé chez Ray, mais Verte n'était pas d'accord.

— Est-ce qu'il existe un tour pour que les gens soient amoureux? ai-je demandé.

Verte m'a regardé d'un air méfiant.

— Qu'est-ce que tu racontes? Qui veut être amoureux?

J'ai un peu rougi. Je n'aime pas tellement qu'on croie que je suis amoureux. Même si je suis amoureux de Verte depuis longtemps, et qu'elle le sait très bien.

— Pas moi, ai-je dit.

Pome était gênée.

Elle a tourné le dos comme si elle ne voulait pas nous écouter.

— Je ne parle pas pour moi, ai-je répété. Je parle pour tes grands-parents.

Verte a souri.

— Ray ? Anastabotte ?

— C'est une bonne idée, a constaté Pome, qui n'était plus si embarrassée. Ray l'adore. Et elle… je suis sûre qu'elle l'aime beaucoup aussi.

— Dans ce cas, qu'est-ce que vous voulez faire de plus ? a demandé Verte.

Elle était un peu méfiante. À sa place, je me serais méfié aussi. Quand ce sont vos grands-parents personnels, vous êtes forcément plus attentifs. Personne n'a envie que ses grands-parents tombent amoureux à tort et à travers.

— C'était une idée en l'air, ai-je corrigé. Je pensais juste qu'ils seraient contents de se savoir amoureux. On aurait pu les aider.

Verte a éclaté de rire.

— Mais elle est sorcière !

— Et alors… Il ne l'embêtera pas. Il ne veut même pas en entendre parler… Il lui offrira des fleurs.

— Il lui en offre déjà.

— Des fleurs et des mots d'amour. Tout le monde aime les mots d'amour. Tout le monde a envie d'être aimé, non ?

J'étais allé un peu trop loin. Cette fois, nous sommes devenus écarlates tous les trois.

— Peut-être, a murmuré Verte. Peut-être... On peut toujours essayer. Mais c'est toi qui t'y colles. Ça t'apprendra à avoir des idées.

Nous nous sommes réunis dans la chambre de Verte. Gérard était resté chez Raymond pour sommeiller devant la télé. Nous étions tranquilles pour quelques heures.

Nous avons choisi une date, et c'était un lundi. Nous avons choisi un lieu, et c'était un parc. Nous avons choisi un climat, et c'était le printemps. Ensuite, Pome m'a posé les mains sur la tête, j'ai laissé entrer la chaleur. Verte a mis devant moi quelques branches sèches et jaunes de fine armoise et deux petites enveloppes de gaze transparente.

— Tu te souviens de ce qu'il faut faire ? m'a-t-elle demandé.

Je m'en souvenais très bien. Nous avions étudié la recette ensemble. Elle n'était pas très compliquée.

— Il faut que tu pleures des larmes d'amour véritable sur les feuilles. Ensuite, tu les partageras en deux et tu les répartiras dans les gazes.

— Je sais… Mais tais-toi ! Il faut que je me concentre pour pleurer…

J'avais réfléchi à la façon dont je m'y prendrais. J'étais prêt. D'abord, j'ai pensé à tous ceux qui s'aiment sur la Terre, et c'était une pensée émouvante. Ensuite, j'ai pensé au moment terrible où les amoureux cessent d'aimer et à toutes les déchirures qu'ils connaissent. Après, j'ai pensé à tous les parents qui sont séparés de leurs enfants. Et à tous les enfants qui réclament en vain l'amour de leurs parents… J'ai pensé au bébé Verte et au bébé Pome. Enfin, j'ai pensé à mes propres amours. À quel point j'aimais mes parents, et à quel point ils m'aimaient. Et j'ai pensé qu'un jour peut-être j'aimerais Verte et qu'elle m'aimerait, et je me suis juré que notre amour serait tellement solide que rien ne pourrait le menacer… Arrivé là, je pleurais tellement

que les feuilles de fine armoise étaient complètement détrempées. Elles gonflaient et repre-
naient peu à peu leur couleur de feuilles.

— Ça suffit ! a dit Pome. Arrête de pleurer !
Il y en a assez !

Il m'a fallu quelques secondes pour arrêter
de sangloter. Les deux filles me regardaient d'un
air épouvanté.

— Il faut encore que tu les mettes dans la
gaze, a fait Verte. Dépêche-toi !

De grosses larmes me coulaient encore le
long du nez tandis que je prenais délicatement
les feuilles, que je les ôtais de leur tige et que je
les rangeais, en nombre égal, dans les deux enveloppes. J'ai replié soigneusement les deux
pochettes et je les ai mises devant moi.

— Voilà, c'est fait, ai-je dit en m'essuyant le
visage.

Les filles ne me quittaient pas des yeux. J'ai
senti la chaleur quitter ma tête. J'ai perdu la
vision. Je suis retourné à mon aveuglement normal. Et j'ai écrasé une dernière larme.

— Ça va aller ? a gentiment demandé Pome
Tu veux quelque chose à boire ?

Verte n'a rien dit. Je suis sûr que je l'avais impressionnée.

Verte s'est chargée de glisser les deux pochettes dans la veste préférée de Ray, le peignoir favori d'Anastabotte. Elle s'est débrouillée comme une véritable espionne. Ce même dimanche, à la tombée de la nuit, les sorts étaient jetés. Il ne restait plus qu'à patienter. J'ai rêvassé toute la journée de lundi. Je regardais le ciel, il était printanier. Mardi, j'étais si énervé que j'ai perdu ma trousse et mon cahier de textes. Mercredi, j'étais réveillé à cinq heures du matin. Impossible de me rendormir. J'attendais.

Pour la première – et j'espère la dernière – fois de ma vie, je me suis fait excuser pour l'entraînement. J'ai demandé à ma mère de me conduire chez Ray. Je voulais être avec les filles quand il les emmènerait.

Raymond a dû se demander ce qui nous arrivait. Au lieu de rire et de bavarder, au lieu de chahuter à l'arrière de sa voiture, nous gardions les yeux fixés sur lui. Nous l'observions comme s'il était le gorille du zoo, avec respect et curiosité. Mais il ne nous prêtait pas beaucoup d'attention. Il chantonnait au volant. Un bouquet de pivoines était posé sur la plage arrière. Leur parfum était si puissant que j'en avais mal au cœur.

Anastabotte nous attendait sur le seuil de sa porte. Elle était habillée et maquillée comme pour une fête. Mais c'était son habitude. De ce côté-là, on ne pouvait pas relever de changement notable. Ce qui n'était pas ordinaire, c'était sa façon de nous regarder. Son air à la fois intrigué et amusé. Quand Ray s'est avancé vers elle en lui tendant ses pivoines, elle l'a écarté d'un geste amical.

— Vous êtes un ange, mon ami, a-t-elle dit. Mais avant toute chose, j'ai un mot à dire à ces trois-là…

Elle nous a fait entrer chez elle, et elle a demandé à Ray de l'attendre dans le salon. Le pauvre homme était tout décontenancé, mais il s'est exécuté. Il est entré dans le salon sans protester, ses pivoines sous le bras, et j'ai pensé que la gaze détrempée était toujours au chaud dans la doublure de sa veste. Anastabotte nous a conduit dans la cuisine et elle a soigneusement fermé la porte derrière elle. Elle nous a rangés côte à côte devant elle et elle a mis les poings sur ses hanches.

— Je vais en changer un en crapaud… Quant aux deux autres, je vais les lyophiliser et les mettre en bocal !

J'aurais dû avoir la peur de ma vie, mais elle avait du mal à réprimer son sourire. J'ai compris que nous n'avions pas grand-chose à craindre. Mes larmes d'amour avaient porté.

— Pour désobéir à ce point, il faut avoir une audace monumentale ! Il ne vous a pas suffi de briser le secret et d'affranchir Gérard ?

J'ai vu Verte secouer doucement la tête de droite à gauche.

— Et vous n'étiez pas satisfaites de passer en plus les pouvoirs à Soufi ?

Cette fois, c'est Pome qui a fait non de la tête.

— Il a fallu que vous interveniez dans la vie de vos proches ?

J'ai hoché la tête de haut en bas.

— Vous étiez pourtant prévenus que tout cela est strictement interdit ?

Elle avait raison. Nous étions prévenus. Ensemble, nous avons baissé la tête pour regarder le bout de nos chaussures. On entendait, du salon, venir la musique lancinante d'une valse Raymond devait s'ennuyer. Il avait mis un disque. Il espérait qu'Anastabotte le rejoindrait. Ray a une confiance absolue dans la valse.

— À qui étaient les larmes ? a repris Anastabotte d'une voix tonnante.

— À moi, madame, ai-je répondu et j'ai attendu avec curiosité qu'elle me réduise en crapaud.

Un long silence est tombé sur nous. Puis une force extraordinaire m'a soulevé du sol. Et je me suis retrouvé pressé contre la poitrine d'Anastabotte. Elle m'a étouffé à demi en me serrant contre elle. J'ai cru qu'elle voulait me pressurer jusqu'à ce que mort s'ensuive... mais elle m'a brutalement posé sur le sol.

— C'est Raymond qui devrait te remercier, a-t-elle soupiré. Moi, je devrais te punir. Mais il ignore quelle force l'a poussé au parc, alors que je sais, moi, à quelles larmes je dois d'y être allée... Est-ce très raisonnable, à notre âge,

d'échanger encore des lettres et des serments ?
Que diront les gens ? Et que pensera ma fille ?
Est-ce que tu y as réfléchi, au moins ? Je reconnais que, pour un amateur, tu t'es bien
débrouillé. Mais c'est bon pour une fois ! Ne
t'avise pas de recommencer !

Elle attendait que j'acquiesce. Alors je l'ai
regardée en souriant, silencieux et immobile.
Elle a fait semblant de prendre mon sourire
pour une promesse. Et je me suis évité un nouveau mensonge. Car Verte et Pome étaient à
mes côtés et je sentais leur énergie envahir tout
l'espace autour de nous. Personne ne pourrait
nous empêcher de grandir et de changer le
monde. Pour nous, l'avenir ne faisait que commencer.